ハヤカワ演劇文庫
〈15〉

アーサー・ミラー
II
るつぼ

倉橋 健訳

ARTHUR MILLER

書房

THE CRUCIBLE

by

Arthur Miller

Translated by
Takeshi Kurahashi
Published 2008 in Japan by
HAYAKAWA PUBLISHING, INC.
This book is published in Japan by
arrangement with
THE WYLIE AGENCY (UK) LTD.
through THE SAKAI AGENCY.

目次

アーサー・ミラーⅡ

るつぼ

るつぼ

登場人物

パリス牧師
ベティ・パリス
ティテュバ
アビゲイル・ウィリアムズ
スザンナ・ウォルコット
ミセス・アン・パトナム
トマス・パトナム
マーシイ・ルイス
メアリ・ウォレン
ジョン・プロクター
レベッカ・ナース
ジャイルズ・コーリイ
ジョン・ヘイル牧師
エリザベス・プロクター

フランシス・ナース
エゼキエル・チーヴァ
ヘリック警察署長
ホーソーン判事
ダンフォース副知事
サラ・グッド
ホプキンズ

この劇の歴史的正確さについての覚え書

この劇は歴史学者がいう意味での歴史ではない。劇的効果を考えて、時には、多くの人物を統合して、一人にした。魔女の名をさけんで〈告発〉する場面に出る少女たちの数も減らした。アビゲイルの年齢は引き上げた。史実では、ほとんど同等の権限をもつ判事が数名いたが、これをすべてホーソーンとダンフォースとに象徴した。しかしながら、わたしは読者がここに、人類の歴史のなかで最も不可解にして最も恐るべき出来事の一つの本質を見出すものと信じる。各登場人物の運命は史実そのままであり、この劇には、史実と同じような——ある場合はまったく同じ——役割を演じていない人物はひとりもいない。

人物の性格については、少数の手紙、裁判の記録、当時書かれたチラシ類、および信憑性はさまざまではあるが彼らの行動に関して言及した資料から推量する以外には、ほとんど知られていない。したがって、人物の性格は、わたしがこの戯曲のなかで書いた解説で指摘したもの以外は、彼らの周知の行動にあわせて、わたしが能力のすべてを傾けて描いた創作と考えられたい。

第一幕（序曲）

一六九二年、春。
マサチューセッツ州、セイラム。
サミュエル・パリス牧師の家の二階の小さな寝室。

左手に幅の狭い窓。窓の鉛わくを通して、朝日が流れこんでいる。蠟燭が、右手にあるベッドの近くで、まだ燃えている。家具はほかに、たんす一棹、椅子一脚、それに小さなテーブルが一つあるだけである。舞台奥のドアをあけると、一階に通じる階段の踊り場である。部屋は、清潔で質素な感じをあたえる。屋根のたるきはむきだしで、生木のまま、手を加えていない。

幕があがると、パリス牧師がベッドのそばにひざまずいている。祈りをささげている様子。

彼の娘ベティ・パリス、十歳、が、ぐったりとベッドに横たわっている。

事件当時、パリスは四十代の半ばであった。歴史上は悪名高い生活をおくったので、よく言われることはほとんどない。民衆や神を味方にしようと懸命に努力をしたにもかかわらず、彼は、どこに行っても、自分が迫害されていると思いこんでいた。集会の最中に、誰かが、まず彼の許可を得ずにドアをしめに立ったりすると、侮辱されたように感じた。妻に先立たれ、子供には何の関心もなく、また扱うすべも知らなかった。子供たちを、単に年がいかないだけの大人とみなしていた。この奇妙な事件が起こるまでは、彼は、セイラムの他の住民と同様、子供たちとは、目を少し伏せ、両腕を脇につけ、話せと言われるまでは口をとじ、唯々諾々とまっすぐ歩いてゆくものとしてしか考えなかった。

彼の家は〈町〉に――といっても、今日の村にもあたらないものだが――立っていた。教会がすぐそばにあり、ここから外側に――つまり湾や内陸の方へむかって――小さな窓をもった暗い家々が、きびしいマサチューセッツの冬に対して身をすり寄せるように、ならんでいた。セイラムがつくられてから、まだ四十年とたっていなかった。ヨーロッパ世界にとってこの地域一帯は、狂信的な宗派の人たちが住む野蛮な辺境ではあるが、価値のある産物を次第に量産し出荷しつつある土地だったのである。

　彼らの生活がどんなものであったか、本当のことは誰も知らない。小説家というものはいなかった。たとえ小説が手近かにあったにしても、それを読むことはとても許されなかったろう。彼らの信条は、芝居や〈むなしい享楽〉の類いを禁じていた。ひとびとはクリスマスも祝わず、仕事をしない休日とは、常にもまして祈りに専念しなければならない日の謂だった。

　だからといって、このきびしい灰色の生活を破るものが何もなかったわけではない。新しい農家がたつと、友人たちが集まり、〈どんちゃん騒ぎ〉をやった。特別のご馳走が作られ、おそらく強いりんご酒もまわされたことだろう。セイラムには、ならず者もいて、ブリジェット・ビショップという女が経営する酒場で、円盤突きのゲームにうつつをぬかしていた。信条もさることながら、おそらく激しい労働がセイラムの道徳を堕落させなかったのであろう。ひとびとは少しでも多く収穫をあげようと雄々しく土地と闘い、遊びまわる時間はあまりなかった。

しかしながら、不心得者もいたことは、二人組のパトロールが実施されていたことによってわかる。彼らの任務は、「礼拝の時間に巡回して、説教や儀式も上の空で漫然と教会にいる者や、あるいは正当な理由もなく家や畑でぶらぶらしている者を見つけ、その名前を書きとめ、治安判事に提出し、しかるべき処置をとること」であった。他人事に介入したがるこの傾向は、セイラムの住民のあいだでは昔ながらのことで、これがやがて来たるべき狂気を育む疑念の多くをつくりだしたことは間違いない。わたしの意見では、こういうことにジョン・プロクターのような人間が反抗するのは、当然であろう。武装して野営する時代はほぼ過ぎ、この地方はかなり——完全にとはいえないまでも——安全になり、古い規律はうっとうしいものになってきていたのである。しかし、こういう事柄がすべてそうであるように、この問題もはっきり割りきれるものではなかった。危険は可能性としてはまだ残っており、一致協力が安全への最良の保証であった。

荒野のふちはすぐそこであった。アメリカ大陸は果てしなく西に伸び、セイラムの人たちにとっては神秘にみちていた。それは、暗く脅かすように、夜も昼も彼らの肩にのしかかっていた。そこからはインディアンの諸族が時おり襲撃してきて、パリス牧師の教区でも、これらの異教徒のために身寄りを失った人たちもいた。

これらの人々の偏狭な気位の高さが、インディアンを改宗させることに失敗した原因の一つでもある。おそらく彼らもまた、土地を、仲間の白人からよりも異教徒から奪うことを好んだのであろう。いずれにせよ、改宗したインディアンはきわめて少なく、セイラムの人々は、原生林を悪魔の最後の領分であり、悪魔の基地であり、最後の抵抗の拠点であると信じていた。彼らの知るかぎりでは、アメリカの森林は、神に敬意を払わぬ地上最後の場所であった。

ほかにもいろいろあるが、特にこういう理由で、セイラムの人たちは、生まれつき抵抗の精神というか、迫害の精神さえ身につけていた。その父たちは、もちろん、イギリスで迫害されてきた。そこで今度は彼らとその教会は、自分たちの新しいエルサレムが悪や誤った考え方によって汚されたり堕落させられたりすることを恐れて、他のいかなる宗派に対しても自由をあたえるべきでないと考えたのである。

つまり、セイラムの人たちは、その揺らぐことのない手に、世界を照らす蠟燭をもっていると信じていた。われわれはこの信念を受けつぎ、それによって助けられもし傷つきもした。セイラムの住民はそれがあたえた規律によって助けられた。彼らは概して献身的な人たちであった。そして自分たちがこの国で選んだ、あるいは生をうけた生活を生きぬかなければならなかった。

彼らにとってその信仰の価値がどんなものであったかは、はるか南、ヴァージニア州はジェイムズタウンの最初の植民地の対蹠的な性格から、証明できよう。ジェイムズタウンに上陸したイギリス人は利潤の追求が主たる動機であった。新しい国の富をもぎとって、金持ちになってイギリスに帰ることを考えていた。彼らは個人主義者の集まりで、そしてマサチューセッツの人たちより遙かに迎合的であった。しかしヴァージニアは彼らを滅した。マサチューセッツも清教徒たちを絶滅させようとしたが、彼らは団結した。彼らは一つの共同社会を作りあげた。初めはそれは、独裁的で非常に献身的な指導者をいただく武装キャンプの程度のものであった。しかしながら、それは同意による独裁制であり、上から下まで共通な一つの主義に結ばれており、その主義を永続させることがあらゆる艱難（かんなん）に耐えるための理由であり拠りどころとなった。そういうわけで彼らの克己、果断、くだらない娯楽に対する疑念、強固な正義感は、人間にあらわな敵愾心を示すこの空間を征服するためには、まことに完璧な手段であった。

しかし一六九二年のセイラムの住民は、メイフラワー号で上陸したひたむきな人たちではなかった。すでに大きな相違が生じていた。その頃には革命が起こりイギリス王室の勅許をうけた政府を倒し、軍事政権が時の権力の座についていた。人々の眼には、この世の関節がはずれてしまった（訳註1）と映ったに違いない。町の一般の人たちには、今日のわれわれの時代がそうであるように、不可解で複雑な時代に思えたことであろう。この混乱の時代は腹黒い悪魔の力によって引き起こされたと多くの人たちがいとも簡単に信じこんでしまったのも、想像にかたくない。このような推測への手がかりは裁判の記録には見られないが、いかなる時代においても不穏な社会はそのような神秘的な疑惑をはぐくむのである。セイラムでもそうであったように、不思議なことが社会の表面の下からつぎつぎに起こってくるとき、人々が不安から全力をふるって犠牲者に襲いかかることをいつまでも控えているとは、とうてい考えられない。

これから始まるセイラムの悲劇は一つの矛盾から発展した。それは、われわれが今なおそれに捉えられて生きており、しかも解決の道を見出せずにいる矛盾である。つまり、こういうことなのだ――よい目的、高い目的のために、セイラムの住民は神政政治を発展させた。それは政治と宗教の結合であり、その機能によって社会を一体化し、共同体を物質的あるいは思想的な敵による破壊にさらしかねない如何なる不統一をも防ごうとした。それは必要な目的のために作りだされ、その目的は達成された。しかし組織というものは、二つの物体が同一空間を占めることができないのと同様、すべて排除と禁止の理念に基づいており、また基づかざるを得ない。秩序は危険を防ぐために作られたのであるが、その秩序の抑圧のほうが必要以上に強くなりすぎる時代が、あきらかにニューイングランドにやって来たのである。魔女狩りは、均衡がより大きな個人的自由を求めはじめたとき、あらゆる階級に起こる恐慌の倒錯的なあらわれである。

示された個々の悪事に対して超越的立場をとるとき、われわれはただ彼らを憐れんでいればすむ。いつの日か、また、われわれも憐れまれる立場になるかもしれないのだから。だが、人間が抑圧なしに社会生活を組織することは今もなお不可能であり、均衡は秩序と自由のあいだで決済されなければならない。

しかしながら、魔女狩りは単なる抑圧ではなかった。それはまた、同様に重要なことなのではあるが、犠牲者の糾弾にかこつけて、自分の非行や罪を公然と表明したいと願っている者にとって、待ちに待った好機であった。ある男が、じつはマーサ・コーリイが夜寝室に入ってきて、妻がそばに寝ている間、自分の胸の上にのしかかり、「あやうく窒息させられるところだった」と言うことが急に可能になり――しかも愛国的で神聖なこととされたのである。もちろんそれはマーサの生霊というわけだが、それを告白したときの満足は、それがマーサ自身であった場合と変わるところはなかった。普通ならそういうことを人前で話すわけにはいかないであろう。

隣人に対するつもる憎しみは、いまや公然と口にすることができ、聖書の慈悲の教えを気にすることなく復讐することができた。土地に対する欲望は、以前は境界線をめぐる口論や喧嘩によって示されたが、今はそれが道徳の舞台にまで高められた。隣人を魔女として告発して、しかも正義感にひたることもできた。宿怨は悪魔と神の聖なる闘いという次元ではらすことができた。疑惑や、幸福な者に対する不幸な者の嫉妬を、一般的な復讐として爆発させることができ、実際に爆発させた。

パリス牧師は祈っている。言葉はきこえないが、取り乱している様子がうかがわれる。ぶつぶつつぶやき、泣きそうになり、泣きだし、それからまた祈る。しかし彼の娘はベッドの上で身動きもしない。

ドアがあき、彼の黒人の奴隷ティテュバが入ってくる。ティテュバは四十代。パリスは彼女をバルバドス島(訳註2)から連れてきた。聖職につく前に彼はそこで商人として何年かをすごしたのである。ティテュバは、可愛がっている者に会わせてもらえないことにこれ以上我慢ができないという様子で、入ってくる。しかしまた、非常におどおどしている。彼女の奴隷としての勘で、この家のごたごたは、いずれはいつものように、自分の背にのしかかってくることを知っているからである。

ティテュバ　（すでに一歩さがって）ベティお嬢様はすぐ治るかのう？

パリス　出てゆけ！

ティテュバ　（ドアの方へあとしざりしながら）お嬢様は、死にやしねえ……

パリス　（怒ってさっと立ちあがり）あっちへ行け！（ティテュバは去る）出て——

（こらえきれなくなって、すすり泣く。歯をくいしばり、ドアをしめ、ぐったりとそれによりかかる）ああ、神よ！　お助けください！（恐怖にふるえ、むせび泣きながらもぐもぐ独り言をいい、ベッドのところへ行き、やさしくベティの手をとる）ベティ。可愛いわが子よ。目をおさまし。目をあけておくれ！　ベティ、娘よ……

パリスがまたひざまずこうとしたとき、姪のアビゲイル・ウィリアムズ、十七歳が入ってくる。人目をひく美しい娘で孤児だが、感情を隠す能力にたけている。いま彼女は、さりげなく振舞おうとしながらも、心配と不安がかくせない。

アビゲイル　おじさん？（パリスは彼女を見る）スザンナ・ウォルコットがグリグズ

先生のところから帰りました。

パリス　そうか。呼んでくれ、ここへ。

アビゲイル　(ドアから体をのりだし、踊り場の数段下にいるスザンナに呼びかける)

おはいり、スザンナ。

スザンナ・ウォルコットが入ってくる。彼女はアビゲイルより少し年下で、心配症でせわしない。

パリス　(待ちかねたように)医者は何と言っている、え？

スザンナ　(パリスの横から首をのばしてベティを見ようとしながら)どの本を見ても、これにきく薬は見つからない、そう牧師様に申しあげるようにと言ってました。

パリス　なんとか探してくれなければ困る。

スザンナ　はい、ここから帰って、いろいろ本を探しておいででした。でも、この原因は超自然的なものではないか、そう申しあげるようにと言ってました。

パリス　(目を大きく見開いて)いや、違う。超自然な原因などではない。ビヴァリーのヘイル牧師を迎えにやったが、ヘイル牧師もきっとわしと同じ意見だろうと伝えてくれ。薬を探すように言ってくれ、超自然な原因だなんて考えずに。そんなものは、ありゃせん。

スザンナ　はい。でも、そう申しあげるように言ってました。（行きかける）

アビゲイル　町でそんなこと、言いふらしてはだめよ、スザンナ。

パリス　まっすぐ家に帰れ、超自然が原因だなどと言うんじゃないぞ。

スザンナ　はい。ベティのために祈ります。（去る）

アビゲイル　おじさん、魔法の噂がひろがっているわ。下へ行って、おじさんの口から否定するのが一番いいと思います。応接間は人でいっぱいです。あたしがここにいてやりますから。

パリス　（アビゲイルに迫られて、彼女の方をむき）で、何と言えばいいんだ？　自分の娘と姪が、異教徒のように森の中で踊っているのを見つけたと言うのか？

アビゲイル　確かに踊りました。あたしがそう告白したと、みんなに言ってください。鞭で打たれなければならぬのなら、打たれもしましょう。みんなは魔法だと言っています。でも、ベティは魔法にかけられたのではありません。

パリス　アビゲイル、おまえがすべてを打ち明けていないのを承知で、皆の前に行くわけにはいかないのだ。森の中でベティと何をしたんだ？

アビゲイル　踊っただけよ。そこへおじさんがいきなり茂みから飛びだしたので、ベティはびっくりして気を失ったのよ。それだけよ。

パリス　ま、おすわり。

アビゲイル　（すわりながら、声をふるわし）あたし、ベティに何も悪いことなんかしないわ。大好きなんですもの。

パリス　ねえ。アビゲイル、罰はいずれは下るだろうが、もしおまえが森の中で悪魔と取引きをしていたのなら、今そう言ってくれ。さもないと、きっとわしの敵に知られてわが身の破滅だ。

アビゲイル　でも、悪魔を呼びだしたりはしませんでした。

パリス　では、なぜベティは真夜中から動けなくなった？　この子は助かる見込みがないのだ！（アビゲイルは目をふせる）今に知られるに違いない、敵が明るみにだすだろう。あそこで何をしていたか、教えてくれ。アビゲイル、わしに敵が多いのは、知っているね？

アビゲイル　聞いています。

パリス　わしを教会から追いだそうとしている一派があるのだ。わかるかね？

アビゲイル　ええ、まあ。

パリス　そんなさなかに、わしの家があやしげな所業の中心にされている。忌まわしいことが森の中でおこなわれ――

アビゲイル　遊びだったのよ、おじさん！

パリス　（ベティを指さし）これでも遊びか？　（アビゲイルは目をふせる。彼は懇願する）アビゲイル、もし医者の役に立ちそうなことを知っているなら、頼む、話してくれ。（彼女は無言）わしが見つけたとき、ティテュバは腕を火にかざしながら振っていたな。なぜ、あんなことをしていたのか？　わけのわからん金切り声をあげて。まるで、物も言えん獣のように、火の上でからだを揺すっていたぞ！

アビゲイル　ティテュバはいつもバルバドスの歌をうたい、あたしたちは踊るの。

パリス　見ていながら、見なかったふりをするわけにはいかんのだ、アビゲイル、敵は見のがしてはくれんからな。草の上に、脱いだ服が一着、あったぞ。

アビゲイル　（無邪気に）服？

パリス　（非常に言いにくそうに）そう、服だ。それに、誰かが――裸で木のあいだを走っているのを、見たような気がする！

アビゲイル　（びっくりして）誰も裸になんかならなかったわ！　思い違いよ、おじさんの！

パリス　（怒って）この目で見たんだ！　（アビゲイルから離れる。それから、心をきめて）さ、本当のことを話してくれ、アビゲイル。真実の重さを自分で感じてほしい。わしの身分にかかわる問題なのだ、牧師としての――それにおまえのいとこのいのちにも。どんな忌まわしいことをしたにせよ、全部話してくれ。下でみんなの前にいって、不意打ちをくうのはごめんだ。

アビゲイル　それ以上何もないのよ。誓うわ。

パリス　（彼女をしげしげと見て、それから、半ば納得して、うなずく）アビゲイル、わしは三年間というもの、ここで、あの頑固な連中を従わせようとたたかってきた。そして、教区の中で少しは尊敬されるようになったというのに、おまえがわしの人格を傷つけようとする。わしは孤児のおまえを引きとり、着る物もあたえてやった――さあ、正直に答えろ。町でのおまえの評判はどうだ――立派だといえるか、え？

アビゲイル　（むっとして）ええ、もちろんですとも。やましいところはないわ。

パリス　（核心をついて）おまえがプロクターのおかみさんから暇をだされたのは、わしに話した以外に何か理由があるのではないかね？　ひとの話では、聞いたとおりに言うと、おかみさんが今年になって滅多に教会にこないのは、汚れたものの近くに坐るのがいやだからだそうだ。なぜそんなことを言われるのかね？

アビゲイル　あのおかみさんは、あたしを憎んでいるんです、きっと、あたしがあの人の奴隷になろうとしなかったから。ひどい女です、嘘つきで、冷たく、ぐちっぽくて。あんな女のために働くのは、いやです！

パリス　あのおかみさんなら、そうかもしれん。が、やはり気になるな、おまえがプロクターの家を出て七カ月になるというのに、どこからも雇いたいと言ってこないのは。

アビゲイル　みんなが欲しいのは、奴隷です。あたしなんかじゃない。奴隷なら、バルバドスに行けばいいんだわ。そんな人たちのため、顔をまっ黒にして働くのは、まっぴら！（パリスに対する腹立ちが思わず出て）あたしを家におくのがいやなんですか、おじさん？

パリス　いや——そんなことはない。

アビゲイル　（かっとなって）町でのあたしの評判は立派なものよ！　許せないわ、そんなふうに言われるの！　プロクターのおかみさんは、金棒引きの大嘘つきよ！

アン・パトナムが登場。死神にとりつかれたような四十五歳の変わった女で、悪夢に悩まされている。

パリス　(ドアがあきかけるとすぐに)いや——いかん、誰もはいっては。(彼女を見て、一応敬意を表するが、迷惑なことにはかわりない)やあ、パトナムのおかみさん、どうぞ。

パトナム夫人　(息をはずませ、目をかがやかせ)おどろきましたね。これは、まさしく、あなたに対する悪魔の一撃よ。

パリス　いや、それは、違い——

パトナム夫人　(ベティを見やって)どのくらい高く飛びました、どのくらい？

パリス　いや、いや、飛んだりはしませんよ。

パトナム夫人　(非常にうれしそうに)いいえ、飛んだのは確かよ。コリンズさんが言っていましたもの、ベティがインガソルさんの納屋を越えて、鳥のように舞いおりるのを見たって！

パリス　ねえ、パトナムのおかみさん、この子は決して——(トマス・パトナムが入ってくる。節くれだった手をした、裕福な地主。五十歳に近い)やあ、おはよう、パトナムさん。

パトナム　これというのも、神の摂理だ！　神の摂理だ。（まっすぐベッドのところへ行く）

パリス　何がです、え、何が——？

パトナム夫人もベッドのところへ行く。

パトナム　（ベティを見おろして）おや、この子は眼をとじているぞ！　ごらん、アン。

パトナム夫人　あら、変ね。（パリスに）うちの子はあけているのに。

パリス　（びっくりして）おたくのルースも病気ですか？

パトナム夫人　（悪意のある確信をこめて）わたしはこれを病気とは呼びませんね。悪魔に取りつかれれば、病気よりも重い。死神が子供たちの中へ入りこんで、裂けたつめで押さえつけているのよ。

パリス　どうか、もう、やめて！　で、ルースの具合はどうなんです？

パトナム夫人　当然苦しまなければなりますまい。けさは目をさまさなかった。それなのに目を開き、歩き、何にも聞こえず、何にも見えず、食べることもできない。魂を奪われたんです、たしかに。

パリスは愕然とする。

パトナム　（さらに詳しいことを聞きだそうとするかのように）ビヴァリーのヘイル牧師を迎えにやったそうですね。

パリス　（いまや次第に自信がなくなって）ただ用心のためにね。悪魔の魔法にいろいろ経験がおありだから、それで——

パトナム夫人　確かにそうよ。昨年、ビヴァリーで魔女を見つけたんですもの、ねえ。

パリス　いえ、おかみさん、あれは、みんなが魔女と思いこんだだけです。わたしは、ここには、魔法の要素はないと確信しています。

パトナム　魔法がないだって！　現に、パリスさん——

パリス　パトナムさん、どうか、いきなり魔法だなんて、言いださんでください。あんたは——誰よりもあんたは、そんな怖ろしい非難がわたしに向けられるのを望むはずがない。軽はずみに魔法だなんて言うのはやめましょう。この家のなかにそんな背徳があれば、わたしはセイラムから追いだされます。

トマス・パトナムについて一言。彼はいろいろ不平の多い男だったが、少なくともその中の一つは無理からぬ面がある。少し前、彼の妻の義兄弟、ジェイムズ・ベイリーがセイラムの牧師になることを拒否された。ベイリーは資格をすべて持ち、おまけに三分の二の票を得たが、ある一派が、どういう理由でだかはわからないが、承認を阻止したのである。

トマス・パトナムは村いちばんの金持ちの長男であった。彼はナラガンセットでインディアンと戦ったことがあり、教会の仕事に深い関心をもっていた。彼は、自分が村の要職の一つに推した候補者を村の衆がにべもなく無視したことを、快く思っていなかったに違いない。それに彼は、自分がまわりの大抵の者よりも知的ですぐれていると自負していたから、なおさらである。

彼が復讐心の強い性質であることは、魔女狩りが始まるよりずっと前に示された。セイラムの前任牧師ジョージ・バロウズは妻の葬式代を払うために、借金しなければならないことになった。そして教区からの給料がとどこおりがちだったため、彼はやがて破産した。トマスと弟のジョンは、バロウズ牧師が借りもしなかった借金のことを言いだして、彼を投獄させた。この出来事は、トマス・パトナムの義兄弟ベイリーが拒否された牧師の地位をうまく手にいれたのが他ならぬバロウズであったという点で、重要である。明らかにそれを根にもってのことである。トマス・パトナムは自分の名と家名が村の人たちによって汚されたと感じ、何としてでも汚名をそそごうとしたのである。

彼が執念深い人間であることをうかがわせるもう一つの理由は、父の遺言状を破棄しようとしたことである。これには腹違いの弟に不相応な金をやるよう記されていた。彼が公けのことでいろいろ横車をおそうとして失敗したのと同じく、遺言状の破棄もうまくいかなかった。

そこで、人々に対する数々の告発がトマス・パトナムの自筆によって書かれていることとも、彼の名前が、超自然的な現象を立証する側の証人として、しばしば見られることも、また彼の娘が裁判の最も時宜にかなった重大なときに率先して魔女の名をわめきたてたことも、おどろくにはあたらない。とくに娘が――いや、これは劇がそこまでいったとき、語ることにしよう。

パトナム　（彼は、軽蔑しか感じていないパリスを、奈落に追いやろうと、いまや懸命である）パリス牧師、これまで事あるたびにあなたの側についてきたし、これからもそうしたい。しかし今度の件で尻ごみをなさるなら、そうはいかない。危険な、復讐心にもえた悪魔が子供たちにとりついているのだ。

パリス　でも、トマス、まさか――

パトナム　アン！　おまえのしたことをパリス牧師にお話ししろ。

パトナム夫人　牧師様、わたしは七人の赤ん坊を、洗礼をうけさせることもできずに、土に葬りました。生まれたときは、それは元気な元気な赤ん坊でしたのに。それが、どの子も、生まれたその晩に、わたしの腕の中でしなびてゆくのです。口には出しませんでしたが、胸騒ぎがして判るのです。ところが今年になって、大事な、たった一人のルースが、おかしくなってきました。ものも言わなくなり、まるで生命が吸いとられるように、しなびてきました。そこでわたしは、お宅のティテュバのところに行かせようと思いついたのです――

パリス　ティテュバのところ！　なんでまたティテュバが――？

パトナム夫人　ティテュバは死んだ者と話すすべを知っているんです。

パリス　おかみさん、魔法で死者を呼びだすのは大罪ですぞ！

パトナム夫人　わかっています、でも、ほかに誰が、うちの赤ん坊を殺したのが何者か、教えてくれます？

パリス　（おびえて）おかみさん！

パトナム夫人　赤ん坊たちは殺されたのです、牧師様！　これが何よりの証拠です！

何よりの！　ルースは昨夜、死んだ赤ん坊たちのすぐそばまで行ったのです、そうですとも、悪魔のしわざでなくて、なんであんなふうに急に口がきけなくなります？　驚くべきしるしです、パリス様！

パトナム　わからんのですか？　われわれの中に人殺しの魔女がいるのだ、暗い所に身をひそめて。（パリスはベティの方をむく。言いしれぬ恐怖がつのってくる）あんたの敵がそれをどうとろうと、もう見て見ないふりをするわけにはいかない。

パリス　（アビゲイルに）では、おまえたちは昨夜、悪魔を呼びだしていたのだな。

アビゲイル　（ささやく）あたしじゃないわ――ティテュバとルースよ。

パリス　（新たな恐怖を感じ、きびすを返してベティのところへ行き、彼女をじっと見つめてから、目をそらし）なんということをしてくれたのだ、アビゲイル、恩を仇で返すとは！　わしはもうだめだ！

パトナム　だめではない！　頑張るんだ。先手をとって――自分で宣言するのだ、魔法を見つけたと――

パリス　この家で？　この家の中で？　そんなことをすれば、身の破滅だ！　敵はそれを利用して――

マーシイ・ルイスが登場。パトナム家の女中。十八歳のふとった、ずるい、非情な娘。

マーシイ　失礼します。ベティのことが気になったもので。

パトナム　なぜ留守番をしていない？　ルースはどうした？

マーシイ　ご隠居さんがついておいでです。お嬢様は少しよくなったようで——さっき、すごいくしゃみをなさいました。

パトナム夫人　ああ、生きているしるしね！

マーシイ　もう心配ありません。ものすごいくしゃみでした。もう一つやると、きっと正気づくでしょう。（ベッドのところへ行き、見る）

パリス　座をはずしてくれませんか、トマス？　しばらく独りでお祈りがしたい。

アビゲイル　お祈りはもう、真夜中からずっとでしょう、おじさん、なぜ下へ行って——

パリス　いや——だめだ。（パトナムへ）あの連中にどう答えればいいか。ヘイル牧師がくるまで待ちます。（パトナム夫人を出ていかせようとして）失礼ですが、おかみさん……

パトナム　さあ、パリス牧師、悪魔と堂々と戦いなさい、そうすれば、村じゅうがあんたを称える！　下へ行って、話すんだ――みんなと祈りなさい。みんな、あんたの言葉を待っているんだ！　一緒に祈ってやんなさい。

パリス　（動揺して）讃美歌の指揮はします。が、魔法のことはまだ言わないでください。議論したくないのです、原因がまだわからないから。ここへ来てから、いろいろ論争しました。もう、たくさんです。

パトナム夫人　マーシイ、さあ、ルースのところへお帰り。

マーシイ　はい。

パトナム夫人は出てゆく。

パリス　（アビゲイルに）ベティが窓の方へ行こうとしたら、すぐわしを呼びなさい。

アビゲイル　はい。

パリス　（パトナムに）きょうのベティは、腕にすごい力があるのです。（パトナムと共に出ていく）

アビゲイル　（不安を押しころして）ルースはどう？

マーシイ　それが、気味が悪いの——昨夜から、死人のように歩くんですって。

アビゲイル　（すぐにベティのところへ行き、今度は不安そうな声で）ベティ？　（ベティは動かない。彼女を揺すって）もうやめて！　ベティ！　起きあがりなさい！

ベティは動かない。マーシイがそばにやってくる。

マーシイ　なぐってみた？　ルースに一発くれてやったら、ちょっとだけ目をさましたわ。ねえ、やってみるわ。

アビゲイル　（マーシイを引きとめ）だめよ、おじさんがあがってくるわ。ねえ、いい、みんなからきかれたら、踊っていたと言うのよ——そこまでおじさんに話してあるから。

マーシイ　ええ。それで？

アビゲイル　おじは、ティテュバがルースの姉妹たちを墓場から呼びだしたことも、知ってるわ。

マーシイ　それから？

アビゲイル　あんたが裸になったのも、見たわ。

マーシイ　（手をたたき、びっくりしたような笑い声をあげ）あら、いやだ！

メアリ・ウォレンが息をきらせて入ってくる。彼女は十七歳、人のいいなりになる、素朴で孤独な娘。

メアリ・ウォレン　どうしよう？　村は大騒ぎよ。いま畑から来たんだけど、みんなが魔法のことを話している。あたしたち、いまに魔女呼ばわりされるわ！

マーシイ　（メアリ・ウォレンを指さして見つめながら）この人、言うつもりよ、わかってるんだから。

メアリ・ウォレン　アビー、言わなくちゃ。魔女はしばり首よ、二年前のボストンの時もそうだった！　本当のことを言わなければいけないわ！　踊ったりしただけなら、あんたが鞭で打たれればすむのよ！

アビゲイル　鞭で打たれるんなら、あたしたち全部よ！

メアリ・ウォレン　あたしは何にもしなかった。見ていただけよ！

マーシイ　（脅かすようにメアリの方へ動き）そう、あんたは偉いよ、見ただけなんだから。覗き趣味の大変な勇気をお持ちだ！

ベティがベッドの上でしくしく泣きだす。アビゲイルはすぐにそっちを向く。

アビゲイル　ベティ？（ベティのところへ行く）さあ、ベティ、いい子だから、目をおさまし。アビゲイルよ。（ベティを起こして激しく揺する）なぐるわよ、ベティ！（ベティはしくしく泣く）あら、よくなってきたようね。あんたのパパに話したわ、何もかも。だからもう――

ベティ（さっとベッドから離れ、アビゲイルをこわがって、壁にぴったり背をくっつけている）ママに会いたい！

アビゲイル（不安になって、用心深くベティに近づいて）どうしたの、ベティ？　ママは死んで、お墓の中よ。

ベティ　ママのところへ飛んでいくわ。飛ばせて！（両腕をひろげて飛ぶような恰好をして、さっと窓をめがけて走りより、片足をそとへ出す）

アビゲイル（ベティを窓から引きはなして）パパには全部話したわ。何もかも、ご存知よ、あたしたちがした――

ベティ　あんたは血を飲んだわ、アビー！　それは言ってないでしょ！

アビゲイル　それを言ってはだめ！　絶対に――
ベティ　飲んだわ、飲んだ！　ジョン・プロクターのおかみさんを殺そうと、おまじないに飲んだ！　そうよ！
アビゲイル　（ベティの横っ面をひっぱたく）おだまり、だまるのよ！
ベティ　（ベッドにくずおれて）ママ、ママ！　（泣きくずれる）
アビゲイル　いいこと。あたしたちは、みんなで踊った。そしてティテュバがルース・パトナムの死んだ姉妹を呼びだした。ただそれだけ。おまえたちの誰かが、それ以外のことを一言でももらしてごらん、あたしは怖ろしい夜の闇に乗じておまえたちのところに行き、身の毛もよだつような恐い目にあわせてやるからね。あたしにはそれができるんだ。並んで寝ていた両親がインディアンに頭を割られるのを見たあたしだよ。夜中に血なまぐさいことがおこなわれるのを見たことだってある。おまえたちに、どうかお日さまが沈みませんようにって、祈らせてやろうか！　（ベティのところへ行き、乱暴に起きあがらせる）さあ、ベティ――起きて、もうおやめ！

しかしベティはアビゲイルの手の中でくずおれ、ベッドにぐったり横たわる。

メアリ・ウォレン　（ヒステリックな恐怖にかられて）どうしたのかしら？　（アビゲイルは不安そうにベティを見る）アビー、ベティは死ぬわ！　魔法を使うのは罪よ、あたしたちは――

アビゲイル　（メアリの方へ行きかけて）おだまり、メアリ・ウォレン！

ジョン・プロクターが入ってくる。彼を見て、メアリ・ウォレンはぎょっとして飛びあがる。

プロクターは三十代半ばの農夫である。彼は町のどの一派にもくみする必要はなかった。しかし、彼が偽善者に対して鋭い、きびしい態度をとっていたことを暗示する証拠はある。たくましい体をしており、冷静で、簡単に人の言いなりになる男ではなく、特定の一派への支持を拒否すれば必ず深い怨恨をかうような人物であった。プロクターの前では、愚かな者はすぐに自分の愚かさを感じとった。したがって彼のような男は、ともすれば他人の中傷をうけがちであった。

しかし、今にわかるように、彼が示す落ち着いた態度は、悩みを知らない人の心から生まれるものではない。彼は罪深い人間である。当時の道徳的規準に反しているばかりではなく、自分の正しい行動の理想にもそむいて罪を負っているのである。こういう人たちには、罪を洗いおとす儀式はない。これは、われわれがセイラムの人たちから受けついだもう一つの特質でもある。それはわれわれを鍛えると同時に、偽善をうむ結果になった。プロクターは、セイラムで尊敬され怖れられてもいたが、自分のことを一種のまやかしと見なしていた。しかしこのようなことはまだ表面には現われておらず、彼が階下の混雑した客間から入ってきたとき、われわれが見るのは、男ざかりで、静かな自信と、内にかくされた力を秘めた男である。彼の召使いであるメアリ・ウォレンは、とまどいと怖さで、ろくに口がきけない。

メアリ・ウォレン　あ！　いま帰ろうとしてたんです、旦那さん。

プロクター　おまえは馬鹿か、メアリ・ウォレン？　家から出てはならんと言ったのが聞こえなかったのか？　何のために給料を払っているんだ？　牛よりもおまえを探すほうが大仕事だ！

メアリ・ウォレン　この世のどえらい出来事を見にきただけです。

プロクター　いずれ、おまえのその尻に、どえらいものを見せてやる。さあ、家へ帰れ。

おかみさんが、仕事をかかえて、待ってるぞ！（メアリ・ウォレンは、少しでも威厳をたもとうとして、ゆっくり出てゆく）

マーシイ（プロクターが怖くはあるが、一方では変に興味をそそられて）あたしも帰ろうかしら。ルースの看病しなければならないから。さよなら、プロクターさん。

マーシイは、斜めにあとじさるようにして、出ていく。アビゲイルは、彼の出現に心をうばわれ、目を大きく見開き、棒立ちになったままである。プロクターは彼女を一瞥してから、ベッドの上のベティのところへ行く。

アビゲイル　わあ！　あなたって、やっぱり強いのね、忘れていた、ジョン・プロクター！

プロクター（アビゲイルを見て、ばつの悪そうな微笑らしいものをかすかに顔にうかべて）いったい、どうしたんだね？

アビゲイル（神経質な笑い声をたてて）この子がちょっとおかしくなっただけよ。

プロクター　うちのそばの通りは、朝からセイラムへ行く人でひっきりなしだ。町じゅうが魔法の噂でもちきりだ。

アビゲイル　ばかばかしい！　（なれなれしい、人の気をひくような態度で、わざと少し彼に近寄る）ゆうべ森の中で踊っていたの。そしたら、いきなりおじさんが飛びだしてきて、この子がびっくり、ってわけ。

プロクター　（微笑がひろがる）あいかわらず、悪い女だ！　（それを予期していたような笑い声がアビゲイルの口からもれる。彼女は、熱っぽく彼の目を見つめながら、さらに近づく）二十歳にならないうちに、さらし台でみせしめにされるぞ。

プロクターは行こうとして、一歩ふみだす。アビゲイルはその行く手をぱっとさえぎる。

アビゲイル　ひとこと言って、ジョン。やさしい言葉を。（彼女の思いつめたような欲情におされて、彼の微笑はきえる）

プロクター　いや、だめだ、アビー。あれはすんだことだ。

アビゲイル　（あざけるように）ばかな女の子が飛ぶのを見に、わざわざ五マイルやって来たというわけ？　ちゃんと判っているんだから。

プロクター　（彼女を断固おしのけて）おまえのおじさんが何をしでかそうとしている

のか、見にきたのさ。(きっぱりと語気を強めて) 変なこと考えんでくれ。

アビゲイル　(プロクターが彼女を放すよりさきに彼の手をつかみ) ジョン――毎晩待っているのよ。

プロクター　待ってくれなんて、約束したおぼえはないね。

アビゲイル　(腹をたてはじめる――信じられない様子で) 約束しなくったって待つわよ！

プロクター　もう忘れるんだ。二度とおまえのところには来ない。

アビゲイル　あたしをからかってるのね。

プロクター　おれがどんな男か、よく知っているはずだ。

アビゲイル　ええ、知っているわ。家の裏であたしをうしろからぎゅっと抱きしめ、あたしが近づくといつも種馬みたいに汗をかいていたじゃない！　それとも、あれは夢だったのかしら？　あたしを追いだしたのはおかみさんよ、自分がしたようなふりをしてもだめ。おかみさんに追いだされたとき、あたし、あなたの顔を見たわ。その時わかったの、あなたがあたしを愛していることが――今だってそうよ！

プロクター　おかしなことを言うのはよせ――

アビゲイル　おかしなことだから、おかしくなるのも当たりまえよ。でも、そんなにおかしくもないわ。おかみさんに追いだされてから、あたしはずっとあなたに会っているわ、毎晩会っているわ。

プロクター　この七ヵ月、農場からほとんど外に出ないよ。

アビゲイル　あたしは熱に対して敏感なの、ジョン。あなたの熱があたしを窓に引きよせる。見たことあるわ、あなたが見上げていたところ、淋しさに燃えながら。あたしの窓を見上げたことがないと言えて？

プロクター　見上げたかもしれない。

アビゲイル　（優しくなっている）当然よ。あなたは冬のように冷たい人ではないもの。わかってるわ、ジョン、わかってるのよ。（彼女は泣いている）夢を見て、眠れないのよ。夢を見ると、目がさめ起きあがり家のなかを歩きまわるの、まるであなたがどこかの扉から入ってきやしないかって気がして。（プロクターに必死でしがみつく）

プロクター　（優しく彼女を離し、非常に同情してはいるが、きっぱりと）可哀そうな子――

アビゲイル　（憤然として）どうして子供呼ばわりするの！

プロクター　時おりおまえをいとしく思うことはあるかもしれない。しかし、二度とおまえに手をだすようなことがあったら、その前にこの手を切りすてよう。もう忘れてくれ。おたがいに心から愛し合っていたわけではないんだ。

アビゲイル　いいえ、愛し合ったわ。

プロクター　うん、でも、違うんだ。

アビゲイル　（苦い怒りをこめて）ふしぎだわ、こんな強い人が、あんな病弱なおかみさんを――

プロクター　（腹をたてて――自分自身に対しても）エリザベスのことは言うな！

アビゲイル　あの人は、町じゅうにあたしの悪口をふれまわっているのよ！　嘘をならべたてて！　冷たい、すぐめそめそする女なのに、あなたは言いなり！　おかみさんのせいで――

プロクター　（彼女を揺すり）おまえは鞭で打たれたいのか？

下から讃美歌が聞こえてくる。

アビゲイル　（泣きながら）あたしが欲しいのはジョン・プロクターよ、あたしの眠りを奪い、心の目を開かせてくれた！　あたしは今までセイラムがこんな偽りの町であることを知らなかった、キリスト教徒の女やその夫たちが説く教えが嘘であることも知らなかった！　それなのに、その光を目から取りされというの？　いやよ、できないわ！　あなたはあたしを愛した、ジョン・プロクター、そしてそれがどんな罪であろうと、今でもあたしを愛している！　（プロクターはくるりと回って出てゆきかける。アビゲイルは彼に走り寄る）ジョン、あたしを可哀そうだと思って、可哀そうだと！

讃美歌の「主のもとに近づかん」という言葉が聞こえる。するとベティが耳をぴしゃりとふさいで、声をあげて泣きだす。

アビゲイル　ベティ？　（急いでベティのところへ行く。ベティはベッドに起きあがって、金切り声をあげている。プロクターもベティの方へ行く。アビゲイルは、「ベティ！」と呼びながら、彼女の両手を下におろさせようとする）

プロクター　（気をそがれて）この子は何をしてるんだ？　どうしたんだ？　泣くのはおやめ！

この途中で讃美歌がやみ、パリスが飛びこんでくる。

パリス　どうしたんだ？　ベティに何かしたのか？　ベティ！　（「ベティ、ベティ！」と叫びながら、ベッドにかけよる。パトナム夫人が、好奇心をもやしながら、トマス・パトナムとマーシイ・ルイスと共に入ってくる。パリスはベッドのところでベティの顔を軽くたたき続ける。ベティはうめき声をあげて、起きあがろうとする）

アビゲイル　歌を聞いて、急に起きあがり叫びだしたんです。

パトナム夫人　讃美歌ね！　あの讃美歌！　主の御名を聞くのが耐えきれないのね！

パリス　いや、とんでもない。マーシイ、医者のところへ！　このことを話すんだ！

（マーシイ・ルイスは走り去る）

パトナム夫人　これが証拠よ、何よりの！

レベッカ・ナース、七十二歳、が入ってくる。白髪で、杖にすがっている。

パトナム　（すすり泣くベティを指さし）あれが怖ろしい魔法にかかっているしるしだ、

ナースのおかみさん、驚くべき証拠だ！

パトナム夫人　母が言ってたわ！　御名を聞くのが耐えられなくなると——

パリス　（震えながら）レベッカ、レベッカ、あの子のところへ行ってやってくれ。もうどうしてよいかわからない。急に主の御名を聞くのが耐えられなく——

　ジャイルズ・コーリイ、八十三歳、が入ってくる。筋肉がもりあがった、抜け目のない、せんさく好きな、まだかくしゃくたる男。

レベッカ　重病人がいるんだよ、ジャイルズ・コーリイ、どうかお静かに。

ジャイルズ　わしはまだ一言もいいやせん。わしが言ったと誰が証言できるかね。また飛ぼうとしてるのかい？　飛んだそうだな。

パトナム　どうか、静かに！

　すべてが静かになる。レベッカは部屋を横切って、ベッドの方へ行く。優しさが彼女の中からあふれている。ベティは目をとじて、静かにすすり泣く。レベッカはベティを見おろして立っているだけだが、ベティは次第に静かになる。

では、みんながこうやって気をとられているあいだに、レベッカについて一言いっておこう。レベッカはフランシス・ナースの妻である。フランシス・ナースは、どの記録を見ても、味方ばかりではなく、論争の相手からも一目おかれる人物のひとりであった。彼はまるで非公式の裁判官のように、よく紛争の調停をたのまれた。レベッカもまた、夫と同様、多くの人々から、高く評価されていた。この魔女騒ぎの時までに、二人は三百エーカーの土地を有し、子供たちは同じ地所内に別々の農場をもち独立していた。しかしながら、ここはもとは借地で、一説によれば、ナースはこれを少しずつ買いとり、社会的地位をきずいていったのであり、この出世を快く思わない者もあったということである。

レベッカに対する——ということは当然フランシスに対してもということになるが——組織的な告発を説明するもう一つの手がかりは、フランシスと近所の者たちとの土地争いである。その争いの相手のなかにパトナムという姓の者が一人いた。この争いは、双方に加勢する者が出て、森の中で一戦をまじえるまでに至り、戦いは二日続いたと言われる。レベッカ自身に関しては、その人柄が皆から高くかわれていたので、彼女がどうして魔女呼ばわりされたのか――それに、大人たちまでがどうして彼女を捕える気になったのか――は、当時の地所や境界線を見てみなければわからない。

すでに述べたように、セイラムの牧師になろうとしたトマス・パトナムの身内の男は、ベイリーといった。ナース一族はベイリーが牧師になるのを阻止する側についた。その上、ナース家と血縁ないし友情で結ばれ、農場がナース家の農場と地続きにある、あるいは近くに住む何軒かの家族たちが一緒になって、セイラムの町の支配から離れて新しく独立した町、トップスフィールドを作った。この存在が古いセイラムの住民の怒りをかった。

告発を背後で操ったのがパトナムであったことは、事件が始まるとすぐ、このトップスフィールドのナース一派が、抗議と不信から、教会に出なくなったことによってわかる。レベッカに対する最初の訴状に署名したのはエドワード・パトナムとジョナサン・パトナムであった。トマス・パトナムの幼い娘は裁判の最中に発作をおこし、自分を襲ったのはレベッカだと指さした。その上、パトナム夫人――魔法をかけられて寝ている子供をいま見つめている――が間もなく、レベッカの生霊が「わたしをそそのかして不正を犯させる」と糾弾した。この告発には、パトナム夫人が知り得る以上の真実が含まれていた。

パトナム夫人　（おどろいて）何をしたの？

レベッカは、考えこみながら、ベッドのそばを離れ、腰かける。

パリス　（感心し、ほっとして）どういうふうにするのです、レベッカ？

パトナム　（せがむように）ナースのおかみさん、うちのルースのところへも行って、目をさますか、やってみてくれませんか？

レベッカ　（坐ったまま）ルースはいずれ目をさましますよ。どうか、皆さん、落ち着いて。わたしには子供が十一人、孫は二十六人います。子供にはいたずら盛りがあって、その年頃には悪魔を追いかけ回してガニ股になったり、わるさをしてまわるものです。ルースも、飽きれば、目をさますでしょう。子供の心は、子供と同じで、追いかけたって、つかまるものではありません。じっと待っていれば、いずれはもとに戻りますよ。

プロクター　そう、そのとおりだ、レベッカ。

パトナム夫人　ただのいたずらとは、わけが違うわ。うちのルースは、とり乱して、ものを食べられないのよ。

レベッカ　きっとおなかがすいていないんでしょう。（パリスに）まさか悪魔探しをするつもりではないでしょうね、パリス牧師。そんなこと、外で聞きましたけれど。

パリス　教区では、われわれの中に悪魔がいるのではないかと、もっぱらの噂です。それは間違いだということを納得させねばなりません。

プロクター　それなら下へ行って、間違いだと言えばいい。悪魔を探すためにヘイル牧師を迎えにやる前に、役人には相談しましたか？

パリス　ヘイル牧師は悪魔を探しにくるのではない！

プロクター　では、何のために？

パトナム　町には死にかかった子供たちがいるんだ！

プロクター　誰も死にかかってなぞいない。この町を自分の思いのままにされては困る、パトナムさん。（パリスに）集会を招集しましたか、その前に——

パトナム　集会なんかうんざりだ。集会を開かなければ、頭を回すこともできんのか？

プロクター　頭を回すのはいいが、地獄には向けんでほしいね！

レベッカ　ジョン、落ち着きなさい。（間。プロクターはそれに従う）パリスさん、ヘイル牧師がみえたら、すぐ帰っていただいた方がいい。面倒なことになりかねないから。せっかく今年は町が静かだというのに。お医者に頼るのが一番、それとお祈りすること。

パトナム夫人　医者はさじを投げているのよ！

レベッカ　それなら、神様にお祈りをして、原因をうかがいましょう。悪魔探しはとても危険よ。こわい、こわいことよ。むしろみんながみずからを責めて——

パトナム　どうして自分を責めるのかね？　わしの親は九人も息子をもった。パトナム家の血筋はこの地方にしっかり根をおろしている。それなのに、わしの子供は八人のうち残ったのはたった一人——それも女の子で、今はぐったりしている！

レベッカ　どうしてでしょう。

パトナム夫人　（皮肉な、からむような調子になって）つきとめてみせるわ！　あんたは思っているんでしょう、自分は子供も孫も一人もなくさず、あたしが一人をのぞいてみんな死なせたのは、神様の思し召しだと？　この町では、輪の中に輪が、(訳注3)火の中に火がある！

パトナム　（パリスに）ヘイル牧師が到着したら、魔法の証拠を探しにかかることだ。

プロクター　（パトナムに）あんたがパリス牧師に命令する権利はない。この町ではみんなが投票で決めるんだ。土地の大きさではない。

パトナム　あんたがこの町のことを気にかけてくれているとはね。雪が降りはじめてから、安息日の集まりで見かけたことがないような気がするがな。

プロクター　ほかに心配事が山ほどあれば、わざわざ五マイルも歩いて、地獄の火だとか天罰の話など聞きにくるひまはない。いいですか、パリス牧師。この頃は教会にこない連中がたくさんいるんだ、それはあんたが神様のことをほとんど口にしないからさ。

パリス　(むっとして) これは手きびしい！

レベッカ　そういえばそう。どうも子供を連れてこられないという人が多いね――

パリス　わたしは子供に説教しているのではない。牧師に対する義務を怠っているのは、子供たちではない。

レベッカ　いるのですか。そんな義務を怠る人が！

パリス　まあ、セイラムの半分はね――

パトナム　半分以上だ！

パリス　薪はどこにあります。契約では、たき木はみんな支給されることになっている。十一月から待っているのに、一本もこない！　十一月だというのに、わたしは霜やけの手を見せなければならなかった、ロンドンの乞食のように！

ジャイルズ　薪を買うのに、年六ポンドを貰っておろうが、パリス牧師。

パリス　あの六ポンドは給料の一部と思っています。薪を買っていては、とてもたりない。

プロクター　本俸六十ポンド、プラス薪代六ポンド――

パリス　本俸が六十六ポンド、プロクターさん！　そこいらの、本を小脇に説教する、百姓あがりとはわけが違う、わたしはハーバード大学を出ているのだ。

ジャイルズ　なるほど、道理で算術がお得意だ！

パリス　コーリイさん、わたしのような者を年六十ポンドで雇えるか、探してみるがいい！　こんな貧乏暮らしには慣れていない。バルバドスで繁昌していた商売をやめて、神に仕える身になったのだ。ここでなぜ、こんな目にあわされるのか、わからない。わたしが何か提案すると、必ずがやがや大騒ぎだ。どこかに悪魔がひそんでいるのではないかという気さえ、ときどきする。そうとでも思わなければ、あんた方がわからない。

プロクター　この家の権利書をよこせと要求した牧師は、パリスさん、あなたが初めてですよ――

パリス　ほう！　牧師は家に住んではいかんのかな？

プロクター　住むのは、いいさ。しかし、所有権までもとなると、教会堂そのものを私有することになる。わたしが出た最後の集会のとき、やれ証書だとか、抵当権だとかながながと話すので、競売かと思った。

パリス　わたしは信任の証拠がほしい、それだけだ！　この七年間で、この教会の牧師は、わたしで三人目だ。多数決とやらの気まぐれで、猫のようにおっぽりだされてはかなわんからね。諸君には、牧師が主イエス・キリストの使いであることがわかっていないらしい。そう軽々しく更迭（こうてつ）したり、論駁（ろんばく）したりすべきではない——

パトナム　賛成！

パリス　服従か、それとも、教会が地獄の業火に燃えるかだ！

プロクター　またそれだ。地獄を引き合いに出さずに、少しは話ができないのかな？地獄のことは聞きあきた。

パリス　聞きあきようと、あきまいと、出すぎた言い分だ！

プロクター　自分の良心に言っているんですがね！

パリス　（激昂して）なに、それではまるでクェーカー教徒だ。われわれはまだクェーカー教徒ではないはず。そんなことは自分の一味に言えばいい！

プロクター　一味に？

パリス　(思わず本心をさらけだして) この教会のなかには党派がある。わしは盲人ではない。党派と徒党がいる。

プロクター　あんたに不服な？

パトナム　彼とすべての権威に不服な！

プロクター　ほう、それを見つけだして、加わらなければ。

他の人たちのあいだに衝撃がひろがる。

レベッカ　本気で言ったのではないのよ。

パトナム　いや、現にそう言った！

プロクター　本気ですよ、レベッカ。こういう「権威」がいやなんだ。

レベッカ　いいえ、牧師様と仲たがいをしてはなりません。考えが違うのです、ジョン。手を握って、仲直りをなさい。

プロクター　畑に種子をまかねばならんし、木材を家まで引いて帰らなければならない。(憤然とドアのところへ行くが、コーリイの方をむき、微笑する) なあ、ジャイルズ、見つけようじゃないか、その党派とやらを。あるそうだから。

ジャイルズ　ジョン、わしはこの人を見直したよ。失礼だが、パリス牧師、あなたがこんなに鉄のような固い意志を持っとるとはねえ。

パリス　（びっくりして）いや、どうも、ジャイルズ！

ジャイルズ　これで思いあたる、ここ数年、わしらのあいだの悩みのたねは何か？（一同に）考えるんじゃ、なにゆえにみんなが互いに訴え争うのか？　考えれば、それは根が深く、穴のように暗い。わしは今年、六回も法廷に出た――

プロクター　（これを言うとジャイルズの寛容さが限界に近づくことを知りながら、親しげに、軽口をたたく）うっかりあんたにおはようと声をかけても、悪口を言ったと訴えられるそうだが、それも悪魔のせいかな？　ねえ、ジャイルズ、年をとって、昔ほど耳がきこえないんだよ。

ジャイルズ　（別に動ぜず）つい先月、おまえさんが公衆の面前で、わしがおまえの家の屋根を焼きはらったと言ったから、四ポンド賠償を取ったが――

プロクター　（笑いながら）そんなことは言わなかったよ。が、金は払った。だから、耳がきこえないと言ったからって、今度はただにしてくれよ。さ、行こう、ジャイルズ、材木を運ぶのを手伝ってくれ。

パトナム　ちょっと待った。その運ぼうというのは、何の材木かね、失礼だが？

プロクター　自分の材木さ。河岸のうちの森から切りだした。
パトナム　いやはや、今年はどうかしとる。何もかもめちゃくちゃだ。あそこはうちの領分だ、うちの地所だ。
プロクター　あんたの地所だって？　（レベッカをさし）あそこは、このナースの亭主から、五カ月前に買ったんだ。
パトナム　彼にそれを売る権利はない。わしの祖父の遺言にちゃんと書いてある、あすこいら全部、つまり川と――
プロクター　おじいさんは、自分のものでもない土地を、やたら遺言する癖があったんじゃないかね。
ジャイルズ　まったくだ。わしもあの北の牧場を、すんでのことでやられるところだった。もっとも、わしに指でもへし折られてはかなわんと、署名はやめたがね。さ、材木を運んじまおう。急に働く気がわいてきおった。
パトナム　うちの樫の木を一本でも持ちだしてみろ、ただではすまんぞ！
ジャイルズ　いいとも、喧嘩なら、こっちの勝ちぞよ――この馬鹿者とわしの！　行こう！　（プロクターの方をむき、行きかける）
パトナム　うちの若い連中を押しかけさせるぞ、コーリィ！　令状で引っくくってやる!

ビヴァリーのジョン・ヘイル牧師が登場。

ヘイル牧師は四十歳近い。肌がひきしまり、目がするどく、知的である。彼にとって、これは願ってもない用件である。魔法をつきとめるためにここに呼ばれたことで、彼は、自分のなみなみならぬ知識が公けに求められる時がついに来たと、専門家らしい誇りを感じている。学究肌の人の常として、彼は多くの時間を目に見えない世界の思索についやした。少し以前に自分の教区で魔女にみずから出会ってからは、特にそうである。しかしながら、その女は、彼の慎重な調査の結果、単なる近所の嫌われ者とわかり、彼女が取り憑いていたと言われた子供も、ヘイル牧師が自分の家に引きとり、介抱し数日休養させると、常態にもどった。しかしこの経験をもってしても、彼は、冥府の存在やそこにうごめくさまざまな悪魔の手先について、疑念を抱くことはしなかった。彼がそれを信じていたからといって、別に不名誉ではない。ヘイルよりももっとまともな人たちが、昔はもちろん今なお、われわれの目の届かないところに霊界があると信じている。ヘイルの或るせりふが、今までこの劇を見た観客のなかに、一度も笑いをよびおこさなかったことには注目せざるをえない。そのせりふとは、「これは迷信などではない。悪魔は律儀だ」という、彼の確信である。明らかにわれわれは、今なお、悪魔の存在を信じることは神聖であり一笑に付すべきでないのではないかと、確信がもてないでいる。われわれが手をつかねるのも偶然ではない。

ヘイル牧師やこの舞台上の他の人たちと同様、われわれも悪魔を立派な宇宙観の必要な一部だと考えている。われわれの世界は分割された一つの帝国で、そのなかではある考えや感情や行動は神のものであるが、それと対峙する感情や行動は悪魔のものである。たいていの人は、「天」をぬきにしては地が考えられないように、罪をぬきにしては道徳に思いを致すことはできない。一六九二年以来、大きな、しかし表面的な変化が、神のひげや悪魔の角を取りさってはきたが、それでもなお世界は、二つのまったく正反対な絶対的存在のあいだにはさまれている。統一の概念――肯定と否定は同一の力に必ずついてまわるものであり、善と悪は相対的で絶えず変化し、常に同じ現象と結びついているという考え方は、今も自然科学や、思想史を把握した少数の人のあいだで通用している。キリスト教の時代になるまでは、冥府は決して敵の領域とはみなされておらず、すべての神は、ときにはそうでない時期があったというものの、概して人間にとって有用であり友好的であったことを思いおこすと、そしてまた、人間は――神によって罪からあがなわれるまでは——無価値であるという考えを、折にふれ組織的に植えつけられてきたことを考えると、悪魔の必要性は一つの武器——人間を鞭打って特定の教会や教会国家に屈従させるために考えだされ、どの時代にもくり返し使われてきた武器——であることは明らかになるだろう。

悪魔の政治的感化——他に適切な表現がないのでこういう言葉を用いるが——を信じることが困難なのは、主として、悪魔が呼び出されると、われわれの社会の敵側ばかりではなく、味方と思われる者からさえも断罪されるという事実による。カトリック教会が宗教裁判所を通じてルシファーを大悪魔にまつりあげたのは有名だが、カトリック教会の敵もまた人心を収攬（しゅうらん）するべく、同じく悪魔という手を使った。マルティン・ルター（訳註4）自身、地獄と結託したと非難され、彼もまた同じ非難を敵にかえした。さらに問題を複雑にしているのは、ルターが、悪魔と接触し神学について議論したと、自分で信じていたことである。これをわたしは意外とは思わない。わたしが学んだ大学で、ある歴史の教授——ついでだが、ルター派（訳註5）の信者である——が、よく大学院の学生をあつめ、窓のカーテンをひき、教室でエラスムスと心の語らいをしていたからである。わたしの知るかぎり、教授はこのことで正式に咎められたことはなかった。その理由は、大学の当局者が、われわれの大半と同じく、いまだに悪魔から乳離れのしていない歴史の追随者だからである。これを書いている現在、イギリスだけが現代的な悪魔崇拝の誘惑をしりぞけている。共産主義諸国では、いかなる意味での反抗もすべて、きわめて有害な資本主義の妖魔に結びつけられ、アメリカでは、反動的でない考え方をする者はすべて、赤い地獄と結託していると糾弾される。これによって、政治的対立に非情な壁が作られ、文明社会における交流という従来の正常な習慣の廃棄を正当化する。政策は即ちこれ道徳とされ、政策への反対は悪魔の悪意とみなされる。ひとたびこういう等式が成立して効果を発揮すると、社会は互いに相手をおとしいれようとする権謀術数の巣となり、政府の主要な役割は調停者のそれから神罰をあたえる役に変わる。

この過程の行きつく先は今も昔も変わらない。ただ時によって加えられる残酷さの程度が違うくらいだが、これでさえもいつもというわけではない。通常は、人間は行動や行為によってすべて判断できると社会は安心してきた。行動の秘められた意図などは、神官や僧侶や司祭の手にまかされていた。しかしながら、悪魔信仰が起こると、行動は人間の本性を証明するためにはあまり重要性のないものになる。悪魔は、ヘイル牧師が言ったように、一筋縄ではいかない存在であり、堕落する直前まで、神でさえも天国で彼を美しいと思っていた。

しかしながら、昔の魔女は実際には存在しなかったが、現在は共産主義者と資本主義者がおり、双方の陣営にスパイがいて互いに相手を壊滅させようとしのぎをけずっている確証があると言われれば、この類推はあやしくなってくる。しかしこれは俗流な反対で、事実の裏づけはまったくない。わたしは、セイラムで人々が実際に悪魔と親しく語り、崇拝さえしていたことを疑わない。この場合、他の場合と同様、もし真相がすべてわかれば、悪魔と和解する普通の慣習化された道が見つけられるはずである。これの一つの確かな証明はパリス牧師の奴隷ティテュバの告白であり、もう一つは彼女と共に魔術に興じたと言われる子供たちの行動である。

ヨーロッパにもよく似た話がある。町の娘たちが夜あつまって、時には物神と、時には一人の選ばれた青年と交わり、父なし子を身ごもることもあったというのである。教会は、長いあいだ死んでいた異教の神が生き返ったときの常として、鋭く目をひからせ、これらのお祭り騒ぎを魔法ときめつけ、当然のことながら、これを、とっくの昔に撲滅したディオニュソスの軍勢の復活と解釈した。性と罪と悪魔は早くからつながりがあった。セイラムでもそれは続いていたし、今日でもそうである。いろいろな話から察するに、世界で一番きびしく清教徒的道徳観を守っているのは、ロシアの共産主義者たちである。たとえばソビエトでは女性のファッションは、アメリカのバプティスト派でさえ一目おきそうなほど、じみで控えめである。離婚の法律は、父親に対し、子供の養育についておびただしい責任を課している。革命当初は離婚規定がゆるやかだったのも、結婚を固定したものとみる十九世紀のヴィクトリア朝的な考え方と、それから派生する偽善に対する反動だったに違いない。ほかに理由がなければ、あれほど強力な、国民の画一化に熱心な国が、家族の核化に長く耐えるはずがない。それでもなお、少なくともアメリカ人の目には、女性に対するロシア人の態度は好色的であるという信念が残っている。ここでもまた悪魔が働くのである。同じように、ストリップ劇場では女が脱ぐと聞いただけでぎょっとするスラブ人のなかにも悪魔が働く。われわれの対立する敵は常に性の罪をまとっている。悪魔研究が魅力的な官能性と、怒らせおどす力をあわせ持っているのは、この無意識的な確信から出てきたのである。

セイラムに乗りこんで来て、ヘイル牧師は、初めて往診に行く若い医者にも似た思いである。苦心して集めた徴候、要語類、診断方法の数々が、今やっと実際に使われるのである。ビヴァリーからの道は、今朝はいつになく往来がはげしく、さまざまな噂を耳にしたが、彼は、土地の人たちがこのまことに明快な学問について無知なのを知り、微笑をうかべている。彼は自分がヨーロッパの偉大な知性の持ち主たち――王や哲学者、科学者、あらゆる宗派の伝道者たちと連帯しているような感じがしていた。彼の目標は、光明と善、および善の保持であり、おびただしい本をくわしく調べることによって研ぎ澄まされた自分の知性が、もとめられて悪魔と血戦をまじえることになるかもしれないということで、武者ぶるいにも似た気持ちをあじわっている。

ヘイル牧師は六冊ほどの重い本に押しひしがれそうになりながら、現われる。

ヘイル　どうか、これを取ってくれ！

パリス　（喜んで）ヘイル牧師！　よく来てくださった！　（本を何冊か取り）これは重い！

ヘイル　（本をおいて）それはそうです、権威の重みがかかっている。

パリス　（ちょっとおびえて）では、そのつもりでこられた！

ヘイル　悪魔を突きとめるとなると、よく研究する必要がある。（レベッカに気がついて）レベッカ・ナースさんではないですか？

レベッカ　そうです。あたしをご存知？

ヘイル　どうしてあなたと判ったか、ふしぎです。きっと、善良な人にふさわしいそのお顔からでしょう。あなたの立派な行ないは、ビヴァリーにも伝わっています。

パリス　この方をご存知か？　トマス・パトナムさんです。それに奥さんのアン。
ヘイル　パトナムさん！　こんな立派な方とご同席願えるとは。
パトナム　（うれしそうに）きょうは手前どもまでは無理でしょうな、ヘイル牧師。ご足労願って、うちの子を救っていただきたいんだが。
ヘイル　お宅のお子さんも具合が悪いのですか？
パトナム夫人　魂が、あの子の魂が飛んでいってしまったらしいのです。眠っているのに、歩くのです……
パトナム　何も食べないし。
ヘイル　食べない！　（考えこむ。それから、プロクターとジャイルズ・コーリイに）あなた方も、お子さんたちが——？
パリス　いや、いや、この二人は百姓です。ジョン・プロクター——
ジャイルズ　この男は魔女なんか信じてませんや。
プロクター　（ヘイルに）魔女の話はしたことありませんよ、いっさい。行こうか、ジャイルズ？
ジャイルズ　いや、よそう。この人にちょっとききたい変な質問があるんでね。
プロクター　あなたは話のわかる方だと聞いています、ヘイル牧師。セイラムで一つそれを示してください。

プロクターは去る。ヘイルは、ちょっとの間、とまどって立っている。

パリス　（急いで）娘を見てくださいますか？（ヘイルをベッドのところに連れてゆく）窓から飛びだそうとしました。けさは、大通りでまるで飛ぼうとするかのように腕を振っているところを見つけました。

ヘイル　（目を細め、むつかしい顔をして）飛ぼうとね。

パトナム　主の御名を聞くのが耐えられないのです。魔法がはびこっている確かなしるしです。

ヘイル　（両手をあげて）いや、いや。まず言っておきましょう。これは迷信とは違うのです。悪魔は律儀で、その存在は石のごとくはっきりしている。万一わたしがこの子の上に地獄の傷を見出さなくても、わたしを信じてくださらなければ、先に進むことはできない。

パリス　わかりました――よくわかりました――あなたの判断にしたがいましょう。

ヘイル　よろしい。（ベッドのところへ行き、ベティを見おろす。パリスに）ところで、

パリス　最初におかしいと気づいたのは、何でしたか？

ヘイル　はい――わたしは娘と――（アビゲイルをさし）姪と、そのほか十二、三人の娘が、昨夜森の中で踊っているところを見つけたのです。

パリス　（おどろいて）踊るのを許しているのですか？

パトナム夫人　いや、いや、秘密にこっそり――

パリス　（待ちきれずに）パリス牧師の奴隷が魔法を知っているのです。

パトナム夫人　（パトナム夫人に）それはまだはっきりせん――

レベッカ　（おびえて、小さな声で）いいえ、判っています。わたしは娘を行かせました――誰があの子の姉妹を殺したか、ティテュバから聞きださせようと。

パトナム夫人　（おどろいて）まあ！　死者の霊を呼びだしに、子供を行かせるなんて。

パリス　神様のおとがめは受けても、あんたからは、まっぴら！　つべこべ言わないでほしいわ！（ヘイル牧師に）七人の子供を、一日も生きないうちに亡くすなんて、自然なことでしょうか？

パリス　しっ！

レベッカは、非常につらそうに、顔をそむける。

ヘイル　七人とも死産か。

パトナム夫人　（小さな声で）はい。（声をつまらせ、ヘイルを見あげる。沈黙。ヘイルは感銘をうける。パリスはヘイルを見る。ヘイルは本のところへ行き、その一つを開き、ページをめくって、読む。一同はじっと待つ）

パリス　（声をひそめて）何の本ですか？

パトナム夫人　何が書いてあるのですか？

ヘイル　（知的な探求をたのしみ味わう風情で）ここには、目に見えない世界のすべてが捉えられ、定義づけられ、解明されている。これらの本の中では、悪魔はその残忍な装いをすべて剝ぎとられている。おなじみの妖精たちもみんな出ている――眠っている女を犯すやつ、男を犯すやつ、陸をかけ、空をとび、海をわたる魔女たち、夜の魔法使い、昼の魔法使い。もう怖れることはない。もし悪魔がわたしたちの中にまぎれこんでいれば、見つけだしてやります。もし顔をだせば、徹底的にたたきつぶしてやる！　（ベッドへ行きかける）

レベッカ　その子が痛い目にあうのでしょうか？

ヘイル　さあ。この子が本当に悪魔に憑かれているとすれば、それから解き放すためには、荒療治もやむをえない。

レベッカ　では、あちらへ行きましょう。年寄りには堪えられそうにないから。（立ちあがる）

パリス　（説得しようとして）ねえ、レベッカ、わたしたちの悩みの種子を、きょう断ち切ることができるかもしれないんですよ！

レベッカ　そう願っています。あなたのために神様におすがりして来ましょう。

パリス　（狼狽して——腹をたて）まさかわれわれはここで悪魔にすがれというのではないでしょうな！

レベッカ　さあ、どうですか。（出ていく。道義的には自分の方が情理にかなっているというような彼女の口調に、一同は怒りを感じる）

パトナム　（だしぬけに）さあ、ヘイル牧師、始めましょう。ここへ坐ってください。

ジャイルズ　ヘイル牧師、いつも学のある人にききたいと思っとったんだが——おかしな本を読むというのは、どういうことですかな？

ヘイル　どんな本ですか？

ジャイルズ　さあ。隠すんです。

ヘイル　誰が？

ジャイルズ　マーサです、女房の。夜、わしがいつ目をさましても、隅っこで本を読んどる。これはどういうことでしょうな？

ヘイル　さあ、それは必ずしも——

ジャイルズ　まったくやりきれませんや！　昨夜なんざ——ですね——何度やってもお祈りが言えねえ。すると、やつは本をとじて、家を出ていった。すると、とたんに——ですね——お祈りができた！

ジャイルズ老について語らなければならない。彼の運命が非常に変わっており、他の人たちのそれと異なっているというだけでも語る必要がある。彼はこの時八十歳すぎで、事件の最もコミカルな主人公であった。彼ほど評判の悪い者はなかった。牝牛が一頭みえなくなると、まず思い浮かぶのは、彼の家のまわりを探すことであった。夜中に火事がおきると、放火の疑いが彼にむけられた。彼は世評には無頓着だった。ただ晩年——マーサと結婚したあと——教会にかかずらうようになった。マーサのせいでお祈りが出てこなかったということも大いにありうるが、彼はつい最近お祈りをおぼえたばかりであり、祈りの文句につまっても当然、と言いそえるのを忘れていた。彼はつむじ曲がりで厄介者であったが、同時に、非常に無邪気で、勇敢な男であった。あるとき法廷で、彼が豚のおかしな動きを見て肝をつぶし、その時これは間違いなく、悪魔が動物に化けているんだと言ったそうだが、それは本当かときかれた。「何に肝をつぶしたんだね？」とたずねられて、「肝をつぶした」という言葉以外はすっかり忘れ、すぐ答えた、「そんな言葉、今までに一度も使ったこと、ありませんや」

ヘイル　ほう！　祈りの中絶か――それはおかしい。あとでよく話そう。

ジャイルズ　マーサが悪魔とかかわりがあると言っとるんじゃないんです。ただ、あれがどんな本を読んどるのか、なぜ隠すのかが知りたいんで。あいつは答えちゃくれないんでさ。

ヘイル　よし、あとで話し合おう。（一同に）さあ、いいですか、もし悪魔がこの子の中にいれば、諸君はこの部屋で驚くべき奇蹟を目撃することになる。どうか、よく気をつけて。パトナムさん、この子が飛ぶといけないから、もっとそばに立って。さあ、ベティ、いい子だ、起きあがりなさい。（パトナムは手を構えて、そばに寄る。ヘイルはベティを起きあがらせるが、彼女はヘイルの手の中でぐったりしている）ふーむ。（ヘイルは彼女を注意深く観察する。他の人たちは、かたずをのんで、見守る）わたしの声が聞こえるか？　ジョン・ヘイルだよ、ビヴァリーの牧師の。

助けに来たんだよ。おぼえているかい、ビヴァリーにいるうちの二人の娘？（ベティはヘイルの手の中で身動きもしない）

パリス（おびえて）本当に悪魔なんでしょうか、えりにえってわたしの家をねらうなんて？　町にはほかにまだ不心得者がいるというのに！

ヘイル　すでに悪しき者に勝ったとて、悪魔にとって、なにほどの勝利でしょう。悪魔がもとめるのは最善の者、これは牧師をおいて他にありますまい？

ジャイルズ　これは深い、深い読みだ、パリス牧師！

パリス（やっと決心がついて）ベティ！　ヘイル牧師に答えなさい！　ベティ！

ヘイル　誰に苦しめられているのかね？　女とはかぎらない、いや、男でもないかもしれない。きっとほかの人には見えない鳥がやって来て――あるいは豚か、鼠か、とにかく動物だな。何かがやって来て、おまえに飛べと命じた？（ベティは彼の手の中でぐったりしたままである。無言で彼はベティを枕の上にねかせる。それから両手を彼女の方へさしだし、唱える）イン・ノミネ・ドミニ・サバオツ・スイ・フィリイーク・イテ・アド・インフェルノース。(訳註6)（ベティは身じろぎもしない。ヘイルはアビゲイルの方をむき、目を細めてきびしい顔で）アビゲイル、森の中でこの子とどんな踊りをおどったのかね？

アビゲイル　ただ――普通の踊りです。

パリス　実は、わたしは――釜を見ました、この子たちが踊っていた草むらで。

アビゲイル　あれはただのスープよ。

ヘイル　どんなスープがはいっていたのかね、その釜のなかに？

アビゲイル　そら豆よ、それに――ひら豆かしら――

ヘイル　パリス牧師、釜のなかに、何か生き物がいませんでしたか、鼠とか、蜘蛛とか、蛙とか――？

パリス　（おそるおそる）その――たしかに何かが、動いていました――スープのなかで。

アビゲイル　あれは飛びこんだのよ、あたしたちが入れたんじゃないわ！

ヘイル　（急いで）何が飛びこんだのだ？

アビゲイル　蛙よ、とってもちっちゃな――

パリス　蛙だって、アビー！

ヘイル　（アビゲイルをつかまえて）アビゲイル、おまえのいとこは死ぬかもしれないんだぞ。昨夜おまえが悪魔を呼びだしたのか？

アビゲイル　あたしじゃないわ！　ティテュバよ、ティテュバが……

パリス　（まっ青になって）悪魔を呼びだしたのか？

ヘイル　ティテュバと話がしたい。

パリス　パトナムのおかみさん、連れて来てくださらんか？　（パトナム夫人は去る）

ヘイル　どうやって呼びだしたんだ？

アビゲイル　知らないわ——バルバドス語で言ったから。

ヘイル　悪魔を呼んだとき何か異常を感じなかったか？　急に冷たい風が吹くとか？　地鳴りがするとか？

アビゲイル　悪魔なんか見なかったわ！　（ベティを揺すって）ベティ、目をさまして。ベティ！　ベティ！

ヘイル　はぐらかそうとしても駄目だ、アビゲイル。ベティはその釜のなかの物を飲んだのか？

アビゲイル　いいえ、飲みはしなかったわ。

ヘイル　おまえは飲んだか？

アビゲイル　とんでもない！

ヘイル　ティテュバは飲めと言ったか？

アビゲイル　言いました、でも、断ったわ。

ヘイル　なぜ隠す？　おまえは悪魔に魂を売ったのか？

アビゲイル　そんなことしません！　あたしはいい子よ！　まともな！

　　パトナム夫人がティテュバと共に現われる。アビゲイルはすぐにティテュバを指さす。

アビゲイル　あの女がさせたの、あたしやベティに！

ティテュバ　(ぎょっとして、怒り) アビー！

アビゲイル　あたしに血を飲ませたのよ！

パリス　血を!!

パトナム夫人　わたしの赤ん坊の血？

ティテュバ　うんにゃ、鶏の血でさ。鶏の血をやったんでさ。

ヘイル　おまえは、この子たちを悪魔の仲間に引きいれようとしたのか？

ティテュバ　うんにゃ、おらぁ、悪魔なんかと取引きはねえす！

ヘイル　なぜこの子は目をさまさない？　おまえが口をきけなくしたのか？

ティテュバ　おらぁ、ベティお嬢様を愛しております！

ヘイル　おまえは悪霊をこの子に乗り移らせたな？　おまえは悪魔のために魂を集めているのか？

アビゲイル　あたしには、教会のなかで乗り移らせたわ、お祈りのとき笑わせたりして！

パリス　そういえば、お祈りのとき、よく笑う、この子は！

アビゲイル　毎晩あたしのところに来て、血を飲ませようとするの！

ティテュバ　魔法をかけろって言ったのは、おめえさまだ！　呪(まじな)いをやってみろとおめえさまが――

アビゲイル　嘘つき！（ヘイルに）眠っていると、来るんです、きまって、いやらしい夢をみさせるんです！

ティテュバ　なんで、そんなこと言うだ、アビー？

アビゲイル　時には目をさますと、いつの間にか自分が、開け放した戸口に立っているのです、身に一糸もまとわずに！　眠っていると、いつもティテュバの笑い声が聞こえるんです。バルバドスの歌をうたったり、誘惑しようと――

ティテュバ　牧師様、おらぁ――

ヘイル　（断固として）ティテュバ、この子の目をさまさせなさい。

ティテュバ　おらにはそんな力はねえす。
ヘイル　そんなはずはない、この子の呪いをといてやるんだ。おまえはいつ悪魔と契約した？
ティテュバ　悪魔となんぞ、契約しねえす！
パリス　白状しろ、さもないと、外へ引きずりだして、死ぬまで鞭をくらわすぞ！
パトナム　絞首刑だ！　ひっくくって、絞首刑にしろ！
ティテュバ　（ふるえあがり、ひざまずいて）こ、絞首刑なんて滅相な！　手をかす気はねえと言ってやっただ。
パリス　悪魔にか？
ヘイル　では、悪魔に会ったんだな！　（ティテュバは泣く）なあ、ティテュバ、悪魔と約束すると、それを破るのが大変むつかしいことは知っている。なんとしてでも、おまえを悪魔から引き放し――
ティテュバ　（どんなことをされるのかと、おびえて）牧師様、この子たちに魔法をかけたのは、ほかの誰かでごぜえますよ。
ヘイル　誰だ？
ティテュバ　知んねえ。けど、悪魔は、たんと、魔女を手下に持ってますでね。

ヘイル　そうか！　(これは一つの手がかりである) ティテュバ、わたしの目をごらん。さあ、ちゃんと。(彼女はおそるおそる目をあげて、彼の目を見る) おまえは善良なキリスト教徒だな、え、ティテュバ？

ティテュバ　へえ、善良なキリスト教徒ですだ。

ヘイル　それに、この子たちを愛しているな？

ティテュバ　もちろんでさ。傷つけたりしたくはねえ。

ヘイル　それから、神様を敬うね。

ティテュバ　敬います、心から。

ヘイル　では、神の御名にかけて――

ティテュバ　かたじけない、もったいない。(びっくり仰天して、ひざまずき、体を前後に揺すり、すすり泣く)

ヘイル　そして神の栄光のために――

ティテュバ　永遠の栄光を。かたじけない――もったいない……

ヘイル　隠さずに言うのだ、ティテュバ――隠さずに、神のお恵みがあるように。

ティテュバ　ああ、神様。

ヘイル　悪魔が来たとき、誰か――ほかの者を連れていたかね？　(彼女は彼の顔をじっと仰ぎ見る）この村の誰かを――おまえが知っている？

パリス　誰が一緒だった？

パトナム　サラ・グッドか？　サラ・グッドが悪魔と一緒にいるのを見たのか？　それともオズバーンか？

パリス　一緒に来たのは、男か、女か？

ティテュバ　男か、女ですだ。その――女でした。

パリス　どんな女だ？　女と言ったな？　どんな女だ？

ティテュバ　まっ暗闇でしたから、おらぁ――

パリス　悪魔は見えたのに、なぜ女が見えぬ？

ティテュバ　へえ、二人はのべつしゃべってましただ。のべつ駆け回り、ふざけ合って

――

パリス　セイラムの者か？　セイラムの魔女か？

ティテュバ　そうでがす、へえ。

ここでヘイルはティテュバの手をとる。彼女はびっくりする。

ヘイル　ティテュバ、怖れずに言うがよい、その連中が誰だったかを、いいね？　われわれはおまえを守ってあげる。悪魔は絶対に牧師には勝てないのだ。わかるか、え？

ティテュバ　（ヘイルの手に接吻して）へえ、わかっとりやす。

ヘイル　おまえは魔法を使ったことをみずから告白した。それは天国の側につきたいことを語っている。祝福してやろう、ティテュバ。

ティテュバ　（ほっと安堵して）おお、ありがとうごぜえます、ヘイル牧師様！

ヘイル　（次第に昂奮してきて）おまえは、わたしたちの中にいる悪魔の手先を発見するため下された、神の使いだ。おまえは、選ばれたのだ、わたしたちを助けてこの村を清くするよう、選ばれたのだ。さあ、すっかり話してくれ、ティテュバ、悪魔を捨て、神にすがるんだ、神様はきっと守ってくださる。

ティテュバ　（ヘイルと一緒になって）神よ、お守りください、このティテュバを！

ヘイル　（やさしく）悪魔と一緒に、誰が来たのかね。二人か？　三人か？　四人か？　何人だ？

ティテュバはあえぎ、前方を凝視しながら、ふたたび体を前後に揺すりはじめる。

ティテュバ　四人でやした。四人。

パリス　（ティテュバにつめよる）誰だ？　誰だ？　名前は、名前を言え！

ティテュバ　（急に叫びだす）あの悪魔めは、何度もおらに言いました、おめえ様を殺せと、パリス様！

パリス　わしを殺せと？

ティテュバ　（激しく怒って）悪魔は言いました、パリス牧師はよくねえ男だ、さもしい、いやな人間だ、ベッドから起きて行って、おめえ様のノドをかっ切れと命じました！　（一同は息をのむ）でも、おらぁ言っただ、「いやだよ！　おらぁ、あの人を憎んじゃいねえ。殺すわけにはいかねえ！」って。すると、言いました。「おれのためにやれ、ティテュバ、そうすりゃ自由にしてやる！　きれいな服をきせて、高い空を飛んで、バルバドスに帰れるようにしてやる！」と。で、おらぁ言っただ、「嘘言え、悪魔、嘘だろう！」そしたら、ある嵐の夜にやって来て、言うにゃ、「みろ、おれには白人の手先だっているんだぞ！」で、見ると――いたんです、グッドのかみさんが。

パリス　サラ・グッドか！

ティテュバ　（体を揺すりながら、泣きじゃくる）へえ、それに、オズバーンのおかみさんも。

パトナム夫人　そうだろうとも！　あたしはオズバーンのかみさんに、三度赤ん坊を取りあげてもらった。あたし、あんたに頼んだよね、トマス、オズバーンのかみさんはもう呼ばないでくれ、怖いからって。あたしの赤ん坊は、いつもあの女の手の中でしなびちまったんです！

ヘイル　勇気をだして、みんなの名前を言うんだ。平気なのか、この子が苦しむのを見て？　見てごらん、ティテュバ。（彼はベッドの上のベティを指さす）この無邪気な顔をごらん。魂もまだ傷つきやすい、わたしたちが守ってやらねばならん。ティテュバ、悪魔が出てきて、この子を餌食にしているんだよ、けだものが清らかな小羊の肉を食べるように。おまえが助けてくれれば、神様のお恵みがあるよ。

アビゲイルが立ちあがり、神の啓示をうけたかのように目をすえて、叫びだす。

アビゲイル　あたしも告白します！　（一同はおどろいて、彼女の方をむく。アビゲイルは、真珠色の光に包まれているかのように、恍惚としている）あたしは欲しい、神の御光が、イエス様のやさしい愛が！　あたしは悪魔のために踊りました、悪魔を見ました、悪魔の名簿に書きました。あたしはイエス様のみもとに戻ります、神様の御手に接吻します。サラ・グッドが悪魔と一緒にいるのを見た！　オズバーンのおかみさんが悪魔と一緒にいるのを見た！　ブリジェット・ビショップが悪魔と一緒にいるのを見た！

アビゲイルが話しているとき、ベティがベッドから起きあがり、熱にうかされたような目をして、アビゲイルの呪文のような叫びを引きとる。

ベティ　（やはり目をすえて）ジョージ・ジェイコブズが悪魔と一緒にいるのを見た！　ハウのおかみさんが悪魔と一緒にいるのを見た！

パリス　ベティが口をきいた！　（駆けより、ベティを抱きしめる）口をきいた！

ヘイル　神に栄光あれ！　魔法はとけた、子供たちは救われた！

ベティ　（ヒステリックに、安心しきったように叫ぶ）マーサ・ベロウズが悪魔と一緒にいるのを見た！

アビゲイル　シバーのおかみさんが悪魔と一緒にいるのを見た！　（それは大きな歓喜にまでたかまってゆく）

パトナム　警察署長を、署長を呼んでこよう！

パリスは神への感謝の祈りを叫んでいる。

ベティ　アリス・バロウが悪魔と一緒にいるのを見た！

幕がおりはじめる。

ヘイル　（パトナムが出てゆくとき）警察署長に、足かせを持ってくるようにと！

アビゲイル　ホーキンズのおかみさんが悪魔と一緒にいるのを見た！

ベティ　ビバーのおかみさんが悪魔と一緒にいるのを見た！

アビゲイル　ブースのおかみさんが悪魔と一緒にいるのを見た！

彼女たちの恍惚の叫びのなかで。

――幕おりる――

第二幕

プロクター家の居間。八日後。

右手にドアがあり、あけると外は畑である。暖炉は左手にあり、その向こうは二階へ通じる階段になっている。低く、暗く、やや細長い当時の居間。幕があがると、舞台には誰もいない。二階から、エリザベスが子供たちに静かに歌ってやっている声が聞こえる。やがてドアが開き、ジョン・プロクターが銃を持って登場。彼は暖炉の方へ行きながら、部屋を見回し、それからエリザベスの歌声を耳にして、ちょっと立ちどまる。暖炉のところまで行って、壁に銃を立てかけ、鍋を火からぱっと取り、匂いをかぐ。それから、杓子ですくって、味をみる。あまり感心しない。食器棚に手をのばして、塩を一つかみ取り、鍋の中へおとす。また味見をしているとき、エリザベスの足音が階段で聞こえる。プロクターはさっと鍋を暖炉にもどし、流しのところへ行き、手と顔を洗う。エリザベス登場。

エリザベス　なぜこんなに遅かったの？　もう暗くなりかけているわ。

プロクター　向こうの森のところまで播いてきたんだ。

エリザベス　まあ、じゃ、終わったのね。

プロクター　うん、畑の種まきはすんだ。坊主どもは眠ったか？

エリザベス　もうすぐ眠るでしょう。（暖炉のところへ行き、杓子でシチューを皿につぎはじめる）

プロクター　これで、夏の天気がよければな。

エリザベス　そうね。

プロクター　きょうは気分がいいのかい？

エリザベス　ええ。（皿をテーブルへ持ってきて、中味を示し）うさぎよ。

プロクター　（テーブルのところへ行き）ほう、そうか！　ジョナサンの罠にかかった？

エリザベス　いいえ、きょうの午後、家の中へ入ってきたの。まるでお客様みたいに、その隅に坐っているところを見つけたの。

プロクター　へえ、入ってきたとは縁起がいいね。(腰をおろし、

エリザベス　とんでもない。皮をはぐとき、胸が痛んだわ、可哀そうに。

プロクターが味わうのを見守る)

プロクター　いい味だ。

エリザベス　(喜びで顔をそめて)とっても念をいれたの。やわらかい?

プロクター　うん。(食べる。エリザベスは彼を見守る)もうじき緑の畑が見られるよ。土の下は暖かい。すぐに春だ。

エリザベス　結構ね。

プロクターは食べる。それから顔をあげる。

プロクター　もし収穫がよかったらジョージ・ジェイコブズのとこの若い牝牛を買うつもりだ。どうだね?

エリザベス　ええ、いいわ。

プロクター　(にっこり笑い)おれはおまえに喜んでもらいたいんだよ、エリザベス。

エリザベス　(言いにくそうに)わかってるわ、ジョン。

プロクターは立ちあがり、彼女のところへ行き、接吻する。エリザベスはそれを受ける。なんとなく失望したふうに、彼はテーブルにもどる。

プロクター　(出来るだけ優しく)りんご酒は?

エリザベス　(うっかり忘れていたことを申しわけなさそうに)はい!　(立ちあがり、行って、りんご酒をコップにつぐ。プロクターは伸びをして、背中を弓なりにする)

プロクター　うちの畑は、一歩一歩、種をまいて行くと、まるで大陸みたいだ。

エリザベス　(りんご酒を持ってきながら)そうでしょうね。

プロクター　(ぐうーっと一飲みにして、それからコップをおき)花を少しつんで来て、家の中にさすといいね。

エリザベス　ああ!　忘れていた!　明日やります。

プロクター　家の中はまだ冬だ。日曜日に一緒においで。二人で畑を歩こう。あんなに花がたくさん咲いているのを見たことがない。(上機嫌で歩いて行き、開いた戸口から空を見あげる)ライラックは紫色の香りがする。ライラックは夕暮の香りだな。

マサチューセッツの春は実にきれいだ！

エリザベス　ええ、そうね。

間。彼女はテーブルから、プロクターが戸口で夜にうっとりとしている様を見守っている。彼女は何か言いたいのだが、言えないという様子。話すかわりに、皿とコップとフォークを取り、流しに持ってゆく。彼女はプロクターに背中をむける。プロクターはエリザベスの方を向き、彼女を見守る。二人の心が離れ離れだという感じが出てくる。

プロクター　また悲しそうにしているね。そうだろう？

エリザベス　（摩擦は好まないが、しかたがない）あんまり遅いもので、きょうの午後はセイラムにお出かけかと思ったの。

プロクター　なぜ？　セイラムには用はないよ。

エリザベス　行くとおっしゃったでしょう、今週の初めに。

プロクター　（彼女が何を言いたいのか、知っている）あれから、考え直したんだ。

エリザベス　メアリ・ウォレンはきょう出かけたわ。

プロクター　なぜ行かせたんだ？　セイラムに二度と行ってはならんと申し渡すのを聞いていたろうに！

エリザベス　とめるわけにはいかないわ。

プロクター　（彼女をきびしく咎めたいところだが、それを抑えて）いかんよ、それは、エリザベス、いかんよ――この家の主婦は、おまえだ、メアリ・ウォレンではない。

エリザベス　おどかされて、どうしようもなかったの。

プロクター　あんな小娘におどかされるなんて――

エリザベス　あの子はもう小娘ではないわ。行ってはいけないと言うと、偉そうにつんと顎をあげ、言うの、「ぜひともセイラムに行かねばなりません。あたし、法廷の責任ある一員ですから！」って。

プロクター　法廷！　何の法廷だ？

エリザベス　ええ、今セイラムで正式の法廷が開かれているんです、ボストンから四人の判事が派遣されて。メアリ・ウォレンが言っていました、大法廷の偉い判事さんだって、州の副知事を長とする。

プロクター　（びっくりして）メアリ・ウォレンは気が違ったんだ。

エリザベス　そうならいいんだけど。もう十四人が牢にいれられたと言っていたわ。

（プロクターは話をつかみかねて、ただ彼女を見つめている）その人たちは裁判にかけられて、絞首刑になるかもしれない、とも言っていた。

プロクター　（笑いとばそうとするが、確信がない）そんな、絞首刑だなんて――

エリザベス　自白しなければ絞首刑だと、副知事が言っているそうよ、ジョン。セイラムは狂ってしまったのね。アビゲイルのことも話していたけど、それを聞くと、まるで聖女みたい。アビゲイルがほかの娘たちを引きつれて法廷にのりこみ、彼女が行くところ、群集は、イスラエルの民に海が開いたように、さっと道をあけるんだって。[訳注7] あの子たちの前にひっぱりだされたとき、あの子たちが叫んだり、わめいたり、床に倒れたりすると――その人は、子供たちに魔法をかけたといって牢屋にぶちこまれるそうよ。

プロクター　（目を大きく開いて）なんという悪質ないたずらだ。

エリザベス　セイラムに行くべきだと思うわ、ジョン。（彼は彼女の方をむく）そうよ。これはペテンだと言ってやるべきよ。

プロクター　（その先を考えながら）うん、そうだな、確かにそうだ。

エリザベス　エゼキエル・チーヴァのところへ行ったら――あの人はあなたをよく知っているし。アビゲイルが先週、パリス牧師の家で言ったことを、チーヴァに話しなさいよ。魔法とは何の関係もないと言ったんでしょう、ね？

プロクター　（考えこんで）うん、そう、そう言った。（間）

エリザベス　（変に刺激して彼を怒らせるのを怖れ、静かに）よくないと思うわ、それを法廷に隠したりすると。話さなければ。

プロクター　（自分の考えと闘いながら、静かに）うん、そう、そうしなければ。なんでみんなは、アビゲイルの言うことを信じてしまったのかな。

エリザベス　あたしなら、すぐセイラムへ行くわ、ジョン——今夜にでも行ったら。

プロクター　考えてみよう。

エリザベス　（勇気が出てきて）このままではいけないわ、ジョン。

プロクター　（怒って）そんなこと判っている。だから、考えているんだ！

エリザベス　（傷つけられて、非常に冷やかに）それなら結構、お気がすむように。

（立ちあがり、部屋から出ていこうとする）

プロクター　いったいどうやって、アビゲイルがおれに言ったことを証明したらいいんだ。今あいつが聖女だとすると、ペテンであることを証明するのは容易ではない、町じゅうがいかれているのだから。部屋で二人きりのとき言ったことだ——証明のしようがない。

エリザベス　二人きりだったの？
プロクター　（かたくなに）うん、ちょっとのあいだだがね。
エリザベス　じゃ、話が違うじゃない、あたしに言ったのとは。
プロクター　（腹をたてて）ほんのちょっとだけだ。すぐに人がはいって来た。
エリザベス　（静かに――プロクターに対する信頼を急に失ってしまっている）では、お好きなように。（きびすを返して行きかける）
プロクター　おい。（エリザベスは彼の方をむく）おまえから変な目で見られるのは、もうごめんだぞ。
エリザベス　（少し昂然と）あたしは別に――
プロクター　もうごめんだ！
エリザベス　なら、そうされないようにすることね。
プロクター　（激しい怒りをおさえた声で）まだ疑っているのか？
エリザベス　（微笑をうかべ、威厳を保とうとして）傷つく相手が、もしアビゲイルでなかったら、そんなにためらったりなさるかしら？　しないでしょうね。
プロクター　おい、いいか――
エリザベス　あたしにはちゃんと判っていますよ。

プロクター　（おもおもしく戒めるように）おれを責めるのは、もうやめろ。アビゲイルをペテンで訴え出る前に、いろいろ考えねばならんことがあるのだ。だから、考えるんだ。おればかり責める前に、少しは自分の欠点を直すように心掛けたらどうだ。アビゲイルのことは忘れていたんだ、ところが――

エリザベス　あたしもよ。

プロクター　よしてくれ！　おまえは何一つ忘れず、許そうともしない。情けを知れ、情けを。アビゲイルが出ていってから七カ月というもの、この家の中で気もそぞろに暮らしてきた、何とかしておまえの機嫌をとりたいと。だが、いつ果てるともしれない葬儀の列がおまえの心を回っている。何か言うと、疑われ、いつも嘘だときめつけられる。この家に帰ってくるのが、まるで法廷に入るような気持ちだった！

エリザベス　ジョン、あなたが隠しごとをするからよ。アビゲイルとはみんなと一緒のとき会ったと言ったくせに、今になって――

プロクター　もうこれ以上言い開きはせんよ。

エリザベス　（弁解するように）ジョン、あたしはただ――

プロクター　もういい！　最初におまえが疑ったとき、どなりつけたってよかったんだ。だが、おれは、やましさから、キリスト教徒らしく告白した。告白したんだぞ！

何か夢をみて、あの日おまえを神様と思い違いをしたのだ。ところが、おまえは神様ではない、違う、これをおぼえておけ！　たまにはおれのいいところも見て、責めたりするのはやめるんだ。

エリザベス　あたしは責めてなんかいません。責めているのは、あなたの心の中にいる裁判官よ。あたしはいつもあなたをいい人だと思っているわ、ジョン――（微笑をうかべ）――ただ魔がさしただけ。

プロクター　（皮肉に笑って）いや、おまえの裁きにはおそれいるよ！　（外で物音がしたので、急にそっちを向く。ドアの方へ行きかけると、メアリ・ウォレンが入ってくる。彼女を見ると、すぐ彼女のところへ行き、その外套をつかみ、怒って）いかんと言うのに、なぜセイラムに出かける？　おれをばかにしているのか？　（彼女を揺すって）今度行ったら、鞭をくらわすぞ！

奇妙なことに、彼女はプロクターに反抗せず、ぐったりと、されるがままになっている。

メアリ・ウォレン　あたし、気分が悪いんです、気分が。どうか、手荒なことはしないでください。（彼女の様子がおかしいので、プロクターはあわてる。彼女の顔は本当に青ざめ、弱っている。プロクターは彼女を放す）からだじゅうが冷えこんでいるんです、一日じゅう裁判の用事があったもので。

プロクター　（怒りをしずめて――好奇心が怒りをしずめたのである）それで、家の用事はどうするんだ？　いつ、この家の用事をするんだ、年に九ポンド払っているんだぞ――それに家内の具合もよくないというのに？

あたかも償いをするかのように、メアリ・ウォレンは小さな布製の人形を持って、エリザベスのところへ行く。

メアリ・ウォレン　きょう、贈り物にこれを作りました。長いこと椅子にかけていなければならなかったので、時間つぶしに縫ったんです。

エリザベス　（当惑しながら、人形を見て）まあ、ありがとう、可愛い人形だこと。

メアリ・ウォレン　（消えいりそうな震え声で）今はみんなが愛し合わなければなりません。

エリザベス　（メアリの様子がおかしいので驚きながら）ええ、本当にそうね。

メアリ・ウォレン　（部屋に目をやって）朝早く起きて、家じゅうを掃除します。今夜は眠らなければ。（くるっと回って行きかける）

プロクター　メアリ。（メアリは立ちどまる）本当か？　十四人の女が逮捕されたって？

メアリ・ウォレン　いいえ、旦那さん。もう三十九人です――（急に言葉を切り、すすり泣き、疲れはてたように、坐る）

エリザベス　まあ、泣いたりして！　どうしたの、メアリ？

メアリ・ウォレン　オズバーンのおかみさんが――絞首刑になるんです！

愕然とした沈黙の間。メアリ・ウォレンは泣きつづける。

プロクター　絞首刑！　（メアリ・ウォレンの顔をのぞきこんで叫ぶ）絞首刑だって？

メアリ・ウォレン　（泣きながら）はい。

プロクター　副知事が認めるまい、そんなこと？

メアリ・ウォレン　副知事が宣告されたんです。やむを得ず。（それを償うように）でも、サラ・グッドは大丈夫です、告白しましたから。

プロクター　告白した！　何を？

メアリ・ウォレン　その――（思いだすのも恐ろしそうに）ときどき悪魔と接触して、自分の名前を悪魔の恐ろしい本に書きこんだことを――自分の血で書き、神様が滅ぼされるまでキリスト教徒を苦しめ――永遠に地獄を崇拝すると約束したそうです。

間。

プロクター　しかしだね――おまえも知っているように、サラ・グッドはよく口から出まかせをしゃべる。それをみんなに言ってやったかい？

メアリ・ウォレン　でも、旦那さん、法廷でもあの女は、あたしたちの息の根をとめようとしたのです。

プロクター　ほう、どうやって？

メアリ・ウォレン　悪霊をあたしにのり移らせたんです。

エリザベス　メアリ、メアリ、おまえはきっと――

メアリ・ウォレン　（憤懣やる方なく）あの女は何度もあたしを殺そうとしたんですよ、おかみさん！

エリザベス　今まで、そんなこと、言わなかったじゃない。

メアリ・ウォレン　今まではわからなかったんです。何にも知らなかったんです。サラ・グッドが法廷に入ってきたとき、あたしは自分に言いきかせました、この女に罪をきせてはならない、溝で寝る貧しい年寄りなんだからと。でも、あの女が法廷に坐り、否定しつづけると、霧のような寒さが背筋をはいあがり、頭の皮膚がしびれ、首がしめつけられるような感じがしてきて、あたしは息ができなくなりました。するとその時――(うっとりと)――聞こえたのです、声が、叫び声が。あたしの声でした――それで、すぐ思いだしたのです、あの女が今まであたしにしてきたこと全部を！

プロクター　なぜだ？　あの女が何をしたというんだ？

メアリ・ウォレン　(ふしぎな秘密の透視力に目ざめた者のように)何度も何度も、あの女はその戸口へ来て、パンとりんご酒をくれと言いました――そうしてですよ、あたしが何もやらずに追い返すと、いつも口の中でぶつぶつ言っていました。

エリザベス　そりゃ、おなかがすいていれば、ぶつぶつ言うでしょうよ！

メアリ・ウォレン　でも、何をつぶやくのでしょうか？　おぼえているでしょう、おかみさん、先月の――月曜日だったか――あの人が帰ったあと、あたしは二日ほど、ものすごい腹痛で苦しみました。おぼえています、おかみさん？

エリザベス　ええ――そんなことがあったね、でも――

メアリ・ウォレン　それで、そのことをホーソーン判事に言ったんです。そこでそこで判事がたずねました、「サラ・グッド、追い返されたとき、どんな呪いをつぶやいて、こ判事がこの子を病気にしたのだ？」すると、サラは答えました――（老婆の口調をまねて）「おや、判事さま、呪いだなんてとんでもねえ。ただ、聖書にある十戒[訳注8]をとなえただけでさあ。ほんとに十戒を言おうとしたんでさ」と、こうなんです！

エリザベス　立派な答えじゃない。

メアリ・ウォレン　ええ、でも、それからホーソーン判事が言いました、「その十戒をとなえてみよ！」――（熱がこもり、二人の方にのりだして）――ところが、十のうち、ただの一つも言えませんでした。十戒を全然知らないんです、だからまっ赤な嘘とわかってしまったんです！

プロクター　それで死刑と決まったのか？

メアリ・ウォレン　（プロクターの執拗な疑惑を見て、いささか緊張し）でも、自分で罪を認めたんだから。

プロクター　しかし、証拠は、証拠は！

メアリ・ウォレン　いま話したでしょう。固い証拠だ、岩のように、と判事さんが言っていました。

プロクター　（ちょっと間をおいてから）二度と法廷へ行くんじゃない、メアリ・ウォレン。

メアリ・ウォレン　言っておきますが、毎日出かけます。あたしたちの仕事の大事さが、ちっともおわかりになっていないんだから。

プロクター　仕事だと？　キリスト教徒の娘が婆さんたちを縛り首にするなんて、おそれいった仕事だよ！

メアリ・ウォレン　でも、告白すれば、縛り首にはなりません。サラ・グッドは、しばらく牢屋に入っていればいいんです――（思いだして）――それに、おかしなことには、サラ・グッドは妊娠しているんです！

エリザベス　妊娠！　みんなどうかしてるんじゃない？　やがて六十なのよ！

メアリ・ウォレン　グリグズ先生の診察をうけたところ、間違いなしです。この数年パイプをふかし、亭主もいないというのに！　でも、サラは心配いりません、ありがたいことに、罪のない赤ん坊を傷つけたりしませんから。それにしても、不思議じゃありませんか？　わかってくださらなければ――あたしたちのしているのは、神様のお仕事なのです。だから、あたし、しばらくのあいだ、毎日出かけます。あたしは――その、法廷の責任ある一員なんだそうです、だから、あたし――（舞台裏の方へじりじりとさがって行く）

プロクター　それなら、おまえの責任者はこのおれだ！（暖炉棚のところへ大股で歩いて行き、そこに掛かっていた鞭を手に取る）

メアリ・ウォレン　（おびえながらも、権威をみせようと、まっすぐ立って）鞭で打ったら、もう黙ってはいませんよ！

エリザベス　（プロクターが近づくとき、急いで）メアリ、さ、家にいると約束しなさい――

メアリ・ウォレン　（プロクターからあとずさりしながら、しかも直立の姿勢を保って、どうしようかと考えながら）悪魔がセイラムに放たれました、あたしたちは、それがどこに隠れているか、見つけなければならないのです！

プロクター　その悪魔を、おまえから叩きだしてやる！（鞭をふりあげて、メアリ・ウォレンに打ちかかる。彼女はさっと逃げて、わめく）

メアリ・ウォレン　（エリザベスを指さして）あたしがきょう、おかみさんの命を助けてあげたのに！

沈黙。プロクターは鞭をおろす。

エリザベス　(静かに) わたしも疑いがかかっているの？

メアリ・ウォレン　(おののきながら) ちょっと名前が出ました。でも、あたし、言ったんです、おかみさんが誰かを傷つけようと悪霊をのり移らせた形跡はないって。あたしがいつもそばで一緒にいるんだからというので、取消しになりました。

エリザベス　誰が訴えたの？

メアリ・ウォレン　法律で決められているので、それは言えません。(プロクターに) もうあたしに、意地悪はしないでください。つい一時間前に、あたしたち、四人の判事さんや王様の御名代の副知事と食事をしたんですから。これからは、あ——あたしに、口のききかたを慎んでください。

プロクター　(戦慄をおぼえ、いまいましげにつぶやく) 行って寝ろ。

メアリ・ウォレン　もう、寝ろなんて指図はうけません！　あたしは十八歳で、一人前の女です、結婚こそしていなくても！

プロクター　起きていたいのか？　それなら起きていろ。

メアリ・ウォレン　寝たいんです！

プロクター　（怒って）なら、おやすみ！

メアリ・ウォレン　おやすみ。（不服そうに、得心がいかぬまま、出てゆく。プロクターとエリザベスは、目を見張ってあとを見送り、立っている）

エリザベス　（静かに）ああ、罠にかけられた、もうこれでおしまい。

プロクター　罠なんかないさ。

エリザベス　アビゲイルはわたしが死ぬことを願っているのです。この一週間、やがてはこうなると思っていました！

プロクター　（自信なげに）取消しになったんだ。聞いただろう――

エリザベス　でも、明日はどうなるか？　あたしを逮捕させるまで、あの娘は言いつづけるわ！

プロクター　おすわり。（彼女は震えながら、腰をおろす。プロクターは静かに、理性を保とうとつとめながら、話す）ここは、一つ、よく考えなければ、エリザベス。

エリザベス　（絶望感におそわれ、皮肉に）そう、ほんとうに、そうね！

プロクター　恐れることはない。エゼキエル・チーヴァに会って、あの娘がおもしろ半分の遊びだと言っていたことを話すよ。

エリザベス　こんなにたくさん投獄されるようでは、もうチーヴァの手にはあまるわ。お願いがあるの、アビゲイルのところへ行ってきて。

プロクター　（何かを感じて、心を固くして）行って何を言うんだい？

エリザベス　（婉曲に）ジョン——こんなこと言ってなんだけど、あなたは若い娘の気持ちがわかっていないのよ。ベッドでかわされた約束というものは——

プロクター　（つとめて怒りをおさえようとしながら）何の約束だ！

エリザベス　口に出そうと出すまいと、確かにそれは約束なのよ。あの娘はおそらくそれに望みをかけ——いいえ、そうに決まっている——あたしを殺し、妻の座につきたいのよ。

プロクターは怒りがたかまってきて、口もきけない。

エリザベス　それがあの子の心からの願いなのよ、わかっているわ、ジョン。名前はほかにもたくさんあるのに、なぜあたしの名前をあげるの。これは少し危険なことでもあるのよ——あたしは、溝で寝るサラ・グッドではないし、飲んだくれで頭の弱いオズバーンとも違う。よっぽど得になることがなければ、あたしのようにまともな農民の妻を名指しにするわけがない。妻の座を奪おうとしているのよ。

プロクター　そんなことはない！　（しかしプロクターは、エリザベスが言うとおり、アビゲイルがそのつもりなのを知っている）

エリザベス　（つとめて理性的になろうとして）ジョン、あなたは今まで、あの子に少しでも軽蔑の色をみせたことがあって？　教会であの子がそばを通ると、きまって顔を赤くして――

プロクター　罪を恥じて赤くなるのさ。

エリザベス　その赤くなることに、あの子は別な意味を見ていると思うわ。

プロクター　で、おまえは何を見ているのだ、何を、エリザベス？

エリザベス　（譲歩したように）あなたも恥ずかしいだろうとは思うわ、あたしがいて、あの子がそばを通ればね。

プロクター　いつになれば、おれをわかってくれるんだ、おい？　もしおれが石だったら、この七カ月のあいだに、恥ずかしさで割れていたろうよ！

エリザベス　じゃ、アビゲイルのところへ行って、娼婦と言ってやりなさい。どんな約束を感じとっていようと――それを破って、ジョン、なかったことにして。

プロクター　（怒りで歯をくいしばって）よし。では行こう。（銃を取りに行く）

エリザベス　（震えながら、恐そうに）まあ、気がすすまないようね！

プロクター　（銃を手に、彼女の方をさっと向く）地獄の一番古い残り火よりもひどく、かんかんになって、あいつを罵ってやる。だが、いいか、おれが怒っても、とやかく言うなよ！

エリザベス　怒るだなんて！　あたしはただ頼んだだけよ――

プロクター　おい、おれはそんなに卑しいか？　本当に卑しいと思っているのか？

エリザベス　卑しいなんて言ったこと、ありません。

プロクター　では、なんでそんな約束があるなんて、おれを責めるんだ？　種馬が牝馬にする約束を、おれがあの女としたなんて！

エリザベス　じゃ、なぜ怒るの、あたしがそれを破ってと言うと。

プロクター　そんなこと、嘘っぱちだからさ、おれは隠しごとはせん！　だが、もう弁解はしない！　おまえの心は、おれのたった一度の過ちにからみついているのだ、無理にはそれは引き離せない！

エリザベス　（叫ぶ）引き離せます、わたしがあなたのただ一人の妻だと、他に妻はいないと悟れば！　あの娘の放った矢は、まだあなたの中にささったまま、あなたもそれを知っているのよ！

まったく突然に、宙からわいて出たように、人影が戸口にあらわれる。プロクターとエリザベスはいささかびっくりする。ヘイル牧師である。彼は様子が前と違う――少しやつれ、おどおどしたような、うしろめたささえ、その態度にうかがわれる。

ヘイル　こんばんは。

プロクター　（まだ驚きからぬけきれずに）なんだ、ヘイル牧師！　こんばんは。さ、中へどうぞ。

ヘイル　（エリザベスに）びっくりさせましたかな。

エリザベス　いいえ、いいえ、ただ、馬の音が聞こえなかったもので――

ヘイル　プロクターのおかみさんですね。

プロクター　はい、エリザベスです。

ヘイル　（うなずいてから）まだおやすみにはなりませんね。

プロクター　（銃を置き）いえ、いえ。（ヘイルは部屋の中へ入ってくる。プロクターは、自分が慌てている理由を説明して）日が暮れてからの客はめずらしいので。でも、ようこそ。まあ、おかけください。

ヘイル　ええ。（腰をおろす）あなたもどうぞ、プロクターのおかみさん。

エリザベスは、ずっとヘイルから目をはなすことなく、腰をおろす。間。ヘイルは部屋を見まわす。

プロクター　（沈黙を破ろうと）りんご酒はいかがです、ヘイル牧師？

ヘイル　いや、胃が受けつけないので。それに、今夜はまだ回るところがあります。おかけください。（プロクターは腰をおろす）手間はとらせません、実は話があるのです。

プロクター　裁判のことですか？

ヘイル　いいえ――いいえ、わたし個人の考えで来ました、裁判所とは関係なく。というのは――（唇をしめらせる）お気づきかどうか知りませんが、おかみさんの名前が――法廷に出ているのです。

プロクター　知っています。女中のメアリ・ウォレンが話してくれました。まったく驚きました。

ヘイル　ご存知のように、わたしはよそから来た者です。この町のことを知らないから、法廷で告発された人たちについて、はっきりした意見を出すことがむつかしい。だから、きょうの午後も、夜もこうやって、一軒一軒訪ね歩いています——今もレベッカ・ナースのところから来たわけで——

エリザベス　（愕然として）レベッカが告発された！

ヘイル　あんな人までが訴えられるなんて。しかし、あの人の名前も——出たのです。

エリザベス　（一笑に付そうとしながら）まさか、レベッカが悪魔と取引きしたなんて、お信じにならないでしょうね。

ヘイル　いいえ、あり得ることです。

プロクター　（びっくりして）そんなこと、絶対に考えられない。

ヘイル　おかしな時代なのです。悪魔どもが結集してこの村に恐ろしい攻撃を加えていることは、誰の目にもあきらかでしょう。それを否定するには、あまりにも証拠が多すぎる。あなたとて、同感でしょう？

プロクター　（はぐらかして）いや、わたしは——その方の知識はありません。しかし、あんな信心深い女が、七十年も敬虔な祈りを捧げてきた末、悪魔の手先だったなんて、とても考えられません。

ヘイル　なるほど。だが、悪魔は一筋縄ではいかない、これは否定なさるまい。しかし、レベッカは、まず起訴にはなりますまい。（間）わたしはお宅のキリスト教的性格について、若干の質問をしに来たのです、もしお許し願えれば。

プロクター　（冷やかに、腹だたしげに）ほう――質問なんて、別に恐くありませんよ。

ヘイル　それは結構。（前よりもくつろいで）パリス牧師がつけている記録を見ると、あなたは安息日にめったに教会に来ませんね。

プロクター　いいえ、そんなことはありません。

ヘイル　十七カ月間に二十六回。めったにと言われても仕方がない。なぜそんなに欠席なさるのですか？

プロクター　教会へ行くか家にいるか、いちいちパリス牧師にことわる必要があるなんて、思ってもみませんでした。この冬は妻が病気だったのです。

ヘイル　そうだそうですね。でも、なぜ独りで来られなかったのです？

プロクター　行ける時は必ず行きましたよ。行けない時は家で祈りました。

ヘイル　プロクターさん、あなたの家は教会ではない。信仰の道はそう教えているはずです。

プロクター　そう、そのとおり。それに、祭壇に金の燭台がなくても、牧師は神に祈るべきだとも教えています。

ヘイル　金の燭台って何ですか？

プロクター　わたしたちが教会を建てたときから、祭壇には錫と鉛で出来たしろめの燭台がありました。フランシス・ナースが作ったもので、まことにみごとな出来でした。しかしパリス牧師は、来てから二十週間、金の燭台のこと以外は説教をせず、とうとうそれを手にいれました。わたしは夜明けから夕暮まで土地を耕します。実をいうと、上をむきパリス牧師のそばでわたしの金がぎらぎら光っているのを見ると――とてもお祈りをする気になれないのです。ときどき、この男は大寺院を夢みている、羽目板の教会堂では満足すまい、と思うのです。

ヘイル　（考えてから）それにしてもだ、キリスト教徒は安息日には教会に行かなければならない。（間）ところで――お子さんは三人ですね？

プロクター　はい。男の子です。

ヘイル　どうして二人だけしか洗礼をうけていないのです？

プロクター　（話しかけるが、やめ、それから、もう黙ってはいられないというかのように）パリス牧師の手で赤ん坊にさわられるのがいやだからです。あの男には神の御光がみとめられない、はっきり言って。

ヘイル　わたしもはっきり言うと、それを決めるのはあなたではない。彼は牧師に任命された、だから、神の御光は彼の中にあるのです。

プロクター　（怒りで顔を紅潮させるが、微笑しようとつとめて）で、お疑いは何なのです、ヘイル牧師さん？

ヘイル　いいえ、いいえ、別に――

プロクター　わたしは教会の屋根をふき、扉をつけました――

ヘイル　それはそれは！　ご奇特なことです。

プロクター　あるいはわたしは、パリス牧師を責めるのに急だったかもしれないが、このことで宗教の破壊を望んでいたなどと思わないでください。きっと、そうお考えなんでしょう、え？

ヘイル　（完全にその言い分を認めたわけではなく）いや――その――あなたの記録には、弱い面がある、弱点が。

エリザベス　きっと、わたしたち、パリス牧師にきびしすぎたんだと思います。そうですわ。でも、悪魔に思いをよせたことなんか、一度もありません。

ヘイル　（うなずき、熟考する。それから、ひそかな試験をおこなう者の声で）十戒をおぼえておいでかな、エリザベス？

エリザベス（ためらうことなく、勢いこんでさえいるように）もちろんですとも。わたしの生活には一点の汚れもありません。わたしは神に誓いをたてたキリスト教徒です。

ヘイル　では、あなたは？

プロクター（いささかおぼつかなげに）ええ――確か、おぼえています。

ヘイル（エリザベスの臆するところのない顔をながめ、それからプロクターを見やり）唱えてみてください、よろしかったら。

プロクター　十戒を？

ヘイル　はい。

プロクター（目をそらし、汗をかきはじめる）汝殺すなかれ。

ヘイル　そう。

プロクター（指を折ってかぞえながら）汝盗むなかれ。汝その隣人の所有を貪るなかれ、また汝自己のために何の偶像をも彫むべからず。汝の神の名を妄りに口にあげるべからず。汝わが面の前に我のほか何物をも神とすべからず。（少しためらって）安息日を憶えてこれを聖潔すべし。（間。それから）汝の父母を敬え。汝いつわりの証拠をたてるなかれ。（彼はつまる。指でかぞえなおし、一つたりないことを知る）汝自己のために何の偶像をも彫むべからず。

ヘイル　それは二度言いました。

プロクター　（困ってしまって）はい。（なんとか思いだそうとする）

エリザベス　（さりげなく）姦淫よ、ジョン。

プロクター　（まるで目に見えない矢が突きささって彼の心を傷つけたかのように）そう。（笑ってごまかそうとして——ヘイルに）ほら、二人がかりでちゃんと全部おぼえていますよ。（ヘイルはただ、プロクターの正体をみきわめようとして、じっと彼を見つめている。プロクターは次第に不安になる）一つぐらいは、たいしたことではないでしょう。

ヘイル　神の教えは、要塞です。要塞では、どんなひびでも、小さいとはいえないのです。（彼は立ちあがる。悩んでいる様子である。深く考えながら、ちょっと歩きまわる）

プロクター　この家には、悪魔の味方はおりません。

ヘイル　そう祈ります、心から。（二人の方を見て、微笑をうかべようとするが、疑惑の色がありありと見える）それではと——おいとましましょうか。

エリザベス　（自分を抑えることができず）ヘイル牧師さま。（彼は振りむく）わたしを疑っておいでのようですね？　違いますか？

ヘイル　（明らかに狼狽して――逃げ腰で）プロクターのおかみさん、わたしはあなたを裁いているのではありません。わたしの義務は、法廷の神聖な叡智に、加えられるものを加えることです。お二人の健康と幸運を祈ります。（ジョンに）おやすみ、プロクターさん。（行きかける）

エリザベス　（切羽つまった口調で）あのことを話さなければ、ジョン。

ヘイル　何です？

エリザベス　（叫びたいのを抑えて）話してくださる？

　短い間。ヘイルはいぶかしげにジョンを見る。

プロクター　（言いにくそうに）その――証人がいないし、証明できないから、信用されなければそれまでですが、子供たちの病気は、魔法とは何の関係もないのです。

ヘイル　（立ちどまり、驚いて）何の関係もない――？

プロクター　あの子たちは森の中でふざけているところをパリス牧師に見つけられ、びっくりして、病気になったのです。

間。

ヘイル　誰がそう言いました？

プロクター　（ためらってから）アビゲイル・ウィリアムズ。

ヘイル　アビゲイル！

プロクター　はい。

ヘイル　（目をまるくして）アビゲイル・ウィリアムズが、これは魔法とは何の関係もないと言ったのですか！

プロクター　あなたがお着きになった日に、そう言いました。

ヘイル　（疑わしげに）なぜ——なぜ、それを隠していたのですか？

プロクター　こんな馬鹿げたことで大騒ぎしているなんて、今夜まで知らなかったのです。

ヘイル　馬鹿げたこと！　プロクターさん、わたしは自分でティテュバやサラ・グッドや、その他悪魔と取引きしたと告白した連中を調べたのです。みんな、ちゃんと告白したんですよ。

プロクター　それはそうでしょう、否認すれば縛り首なんだから。縛り首になるよりはと、誰だってどんな誓いでもしますよ。それを考えたことはないのですか？

ヘイル　あります。それは――あります。（それは彼自身の疑念でもある。だが、それに抵抗する。彼は、まずエリザベスに、それからジョンに目をやる）それでは――これを法廷で証言してくれますね？

プロクター　わたしは――法廷に行くつもりはなかった。だが、行かねばならぬのなら、行きます。

ヘイル　気がすすまないのですか？

プロクター　いや、別に。ただ、わたしの話が法廷で信じてもらえるかどうか。あなたのようなしっかりした牧師までが、嘘など一度もついたことのない、嘘なんかつきっこないとみんなが認めている女を、疑っておいでなのですからね！　ためらいもしますよ、わたしは馬鹿じゃないから。

ヘイル　（その言葉に感銘をうけ――静かに）プロクターさん、率直に話し合いましょう。実は、気になる噂を耳にしているのです。あなたは、この世に魔女がいることさえ、信じていないそうですが、本当ですか？

プロクター　（彼はこれが危機であるということを知っている。そして、ヘイルに対する嫌悪や、それに答えようとする自分に対する嫌悪とたたかいながら）何を言ったかおぼえていませんが、言ったかもしれません。この世に魔女がいるかどうか考えたことはあります——もっとも、今わたしたちの間にいるとは信じられません。

ヘイル　それでは、あなたは信じないのですね——

プロクター　よくわからないのです。聖書に魔女のことが出てくるから、[訳註9]否定はしません。

ヘイル　あなたは、おかみさん？

エリザベス　わたしは——信じられません。

ヘイル　（仰天して）信じられない！

プロクター　エリザベス、そんな、この方を困らせるようなことを！

エリザベス　（ヘイルに）わたしのように、まともに生きてきた女の魂を、悪魔が自由にできるとは思えません。わたしは善良な女です。この世で正しいことしかしていないわたしを、ひそかに悪魔に通じているとあなたがお思いになるのなら、悪魔の存在など信じないと言わざるをえません。

ヘイル　しかし、おかみさん、あなたは悪魔がいると信じて——

エリザベス　わたしが魔女の一人とおっしゃるのなら、そんなものはいないと申しあげます。

ヘイル　あなたはまさか神の教えに逆らうつもりでは――

プロクター　家内は、神の教えを信じています、一言一句！

エリザベス　神の教えのことなら、アビゲイルにきいてください、あたしではなく！

ヘイルはエリザベスを見つめる。

プロクター　家内は、神の教えを疑っているわけではないのです、決して。うちは、キリスト教徒です、二人とも。

ヘイル　神が二人をお守りくださるように。三番目の子供さんに早く洗礼をうけさせなさい。そして、日曜日には必ず教会で安息日のお祈りをすること。まじめに、静かに生きることです。わたしの考えでは――

ジャイルズ・コーリイが戸口にあらわれる。

ジャイルズ　ジョン！

プロクター　ジャイルズ！　どうしたのだ？

ジャイルズ　家内が連れて行かれた。

フランシス・ナースが登場。

ジャイルズ　それに、フランシスのところのレベッカも！

プロクター　（フランシスに）レベッカも牢屋に！

フランシス　そう、チーヴァが来て、車に乗せていった。いま牢屋に行ってきたが、会わせてくれん。

エリザベス　これはもう、きちがい沙汰だわ、ヘイル牧師さま！

フランシス　（ヘイルのところへ行き）ヘイル牧師！　副知事に話してもらえんですか？　これは絶対に間違いだ——

ヘイル　どうか落ち着いて、ナースさん。

フランシス　家内は教会の中心になっている人間だ——（ジャイルズをさし）それに、マーサ・コーリイにしても、あんな信心深い女はいない。

ヘイル　レベッカはなんで訴えられたのです？

フランシス　（うつろに、せせら笑うように）殺人罪、ですとさ！（あざけるように逮捕状の文句を引用する）「パトナム夫人の赤ん坊を驚くべき超自然的な手段にて殺害せるかどにより」。どうすればいいんです、ヘイル牧師？

ヘイル　（深く困惑した体で、フランシスから目をそらす。それから）ねえ、ナースさん、もしレベッカが汚れているとすれば、緑の世界を火から守れるものは何もありません。法廷の判断にゆだねるのです。きっと、家にかえしてくれるでしょう、法廷は。

フランシス　では、家内は、法廷で裁かれるというのか！

ヘイル　（なだめすかすように）ナースさん、どんなにつらくても、われわれは後に引くことはできない。これは新しい時代なのです。手のこんだ不可解な企みが進められていて、昔ながらの友情や尊敬の念にすがっていると、いつ罪を犯すことになるかもしれない。わたしは法廷で、おそるべき証拠をいやというほど見ました――悪魔はセイラムで生きている。われわれは、告発の指がさすところ、あくまでもそれに従い、ひるむことがあってはならない！

プロクター　（腹だたしげに）どうしてあんな女に子供が殺せるんだ？

ヘイル　（非常につらそうに）ですがね、悪魔が落ちる少し前まで、神様も天国で悪魔を美しいと思っていたのですよ。

ジャイルズ　わしは、家内を魔女だなんて言ったおぼえはない、本を読むと言っただけだ！

ヘイル　おかみさんは何で訴えられたのです？

ジャイルズ　あのろくでなしのウォルコットの野郎が告訴したんでさ。実は四、五年前、あいつが家内から豚を一頭買ったところ、すぐ死んでしまったんでさ。すると奴はふらりとやって来て、金を返せ、とこうでさ。女房は言いました、「ウォルコット、一頭の豚もろくに育てられんようじゃ、とてもたくさん飼う身分にはなれないね」とね。それで奴は法廷へ出かけ、あの時以来いくら豚を飼っても、四週間と生きちゃいねえのは、うちのマーサが本で豚に魔法をかけているからだとぬかしたんでさ！

エゼキエル・チーヴァが登場。一同、はっとして沈黙。

チーヴァ　こんばんは、プロクター。

プロクター　やあ、チーヴァさんか。こんばんは。

チーヴァ　皆さん、こんばんは。こんばんは、ヘイル牧師。

プロクター　法廷のことで来たのじゃあるまいね。

チーヴァ　いや、そうなんだ。おれは今じゃ法廷の書記だからね。

（ヘリック警察署長が登場。三十歳を少し出た男で、いささか面映ゆげに入ってくる。）

ジャイルズ　気の毒だな、エゼキエル、天国に行けたかもしれない正直者の仕立屋が、地獄で火あぶりになるなんて。そんなことしているから、火あぶりになるんだぜ、わかっているのか？

チーヴァ　わかってもらいたいね、おれは命じられる通りにしなければならないんだ。これはわかってくれにゃ、ジャイルズ。地獄送りなんて、まっぴらだぜ。聞いただけで、ぞっとする、聞いただけで。（彼はプロクターを恐れているが、自分の上衣の内側に手をいれる）なあ、プロクター、法律とはいかに重いものか、その重みを背負って今夜やって来たんだ。（逮捕状をとりだす）おかみさんの逮捕状だ。

プロクター　（ヘイルに）起訴はされないと言ったじゃないか！

ヘイル　この件は何も知らない。（チーヴァに）いつ起訴されたのだ？

チーヴァ　今夜、十六通の逮捕状を渡されたのです、ここのかみさんもその一人です。

プロクター　誰が告訴したんだ？

チーヴァ　そりゃ、アビゲイル・ウィリアムズさ。

プロクター　何を証拠に、証拠は何だ？

チーヴァ　（部屋を見回し）プロクターさん、時間があまりない。家宅捜索をせよというのが法廷の命令だが、それはしたくない。だから、おかみさんが持っている人形を全部、渡してくれませんか？

プロクター　人形？

エリザベス　人形なんて、持っていませんよ、子供の頃は別として。

チーヴァ　（当惑し、メアリ・ウォレンの人形がおいてある暖炉棚の方に目をやり）あそこに人形がある。

エリザベス　ああ！（それを取りに行く）でも、これはメアリの人形よ。

チーヴァ　（おずおずと）それをくれませんか？

エリザベス　（人形をチーヴァに渡し、ヘイルにきく）法廷は人形の中に何か見つけたのですか？

チーヴァ　（大事そうに人形を持ち）ほかにはもうないかな？

プロクター　いや、これだって今夜まではなかったのだ。人形がどうだというのかね？

チーヴァ　つまり、人形は――（人形を慎重にひっくり返す）――ときには証拠に――おかみさん、同道願えますか？

プロクター　いや、だめだ！（エリザベスに）メアリをここへ連れてこい。

チーヴァ　（あわくってエリザベスの方に手を伸ばし）だめ、だめ、おかみさんから目を離すなと命じられているんです。

プロクター　目を離してきっぱり忘れる方が身のためだ。メアリを連れてこい、エリザベス。

エリザベスは二階へ行く。

ヘイル　人形に何かあるのですね、チーヴァさん？

チーヴァ　（手の中で人形をひっくり返しながら）それはつまり、話によると――（人形のスカートをもちあげていたが、はっとして畏れで目を見張る）これだ、これ――
――

プロクター　（人形へ手をのばし）何だ？

チーヴァ　ほら——（人形から長い針を引きぬく）——針だ！　ヘリック、ヘリック、針があったぞ！

ヘリックはチーヴァの方へ寄る。

プロクター　（あっけにとられ、怒って）針がどうしたというのだ！

チーヴァ　（両手が震えている）いや、これは厄介なことになる、おかみさんが——まさかと思っていたんだが、プロクターさん、いや、これではもう、どうしようもない。（ヘイルに、針を示して）ほら、針ですよ！

ヘイル　なぜ？　それがどうしたんです？

チーヴァ　（目を見開き、震えながら）あの娘、ウィリアムズのとこの、アビゲイル・ウィリアムズですよ。あの子が今夜パリス牧師の家で夕食をしているとき、いきなり、ぱったり倒れたのです、打たれた獣のように。そして、牡牛だって聞けばもらい泣きしそうな悲鳴をあげたんだそうです。パリス牧師が助け起こすと、あの子の腹に二インチほどの針が刺さっており、引きぬいて、どうしたんだときくと、アビゲイルは――（こんどはプロクターにむかい）――あんたのおかみさんの使い魔が突き刺したと証言したそうだ。

プロクター　ばかな、アビゲイルが自分で刺したんだ！　（ヘイルに）ヘイル牧師、これを証拠だなどと思わないでください！

ヘイルは思わざる証拠の出現におどろいて、黙っている。

チーヴァ　確かな証拠だ！　（ヘイルに）プロクターのおかみさんの人形がここにありました。わたしが見つけたのです。しかも人形の腹には針が刺さっている。これが何よりも悪魔の証拠だ、もうわたしの邪魔をしないでほしい、わたしは――

エリザベスがメアリ・ウォレンと共に入ってくる。プロクターはメアリ・ウォレンを見ると、彼女の腕をつかんで、ヘイルのところへ引っぱって行く。

プロクター　さあ、おい！　メアリ、どうしてこの人形がうちにあるのだ？

メアリ・ウォレン　（自分でおびえて、非常に小さな声で）どの人形ですか、旦那さん？

プロクター　（いらいらと、チーヴァの手のなかの人形を指さし）これだ、この人形だ。

メアリ・ウォレン　（人形を見て、あいまいに）ああ、それ——あたしのじゃないかしら。

プロクター　おまえの人形なんだな、え？

メアリ・ウォレン　（質問のねらいがわからず）そう——です。

プロクター　で、どうしてこの家にあるんだ？

メアリ・ウォレン　（食い入るように見守っている人々の顔を見回して）あの——それ、法廷であたしが作り——今夜おかみさんにあげたんです。

プロクター　（ヘイルに）これで——おわかりでしょう？

ヘイル　メアリ・ウォレン、針がこの人形の中から見つかったのだ。

メアリ・ウォレン　（困って）別に、悪意があったんじゃないんです。

プロクター　（急いで）おまえが自分でその針を刺したのだな？

メアリ・ウォレン　そう——だと思います——あたし——

プロクター　（ヘイルに）さあ、どうです？

ヘイル　（メアリ・ウォレンをじっと見ながら）それは確かに間違いのない記憶かね？

それとも、あるいは、誰かにそそのかされて、そう言っているのかね？

メアリ・ウォレン　そそのかされる？　とんでもない、あたしは気が確かです。なんなら、スザンナ・ウォルコットにきいてください——あたしが法廷でそれを縫っているのを見ていましたから。（さらによい考えがうかんで）アビゲイルにもきいてごらんなさい、あたしがそれを作っているとき、アビーは隣りに坐っていました。

プロクター　（ヘイルに、チーヴァのことを）帰れと言ってください。あなたの心はもう決まったでしょう。出ていくように命じてください、ヘイル牧師。

エリザベス　針がどうしたのです？

ヘイル　メアリ——おまえはアビゲイルに冷酷無惨な殺人罪を負わせることになるよ。

メアリ・ウォレン　殺人罪だなんて！　あたし別に——

ヘイル　アビゲイルが今夜刺された。腹に針が一本、刺さっていた——

エリザベス　それがあたしのせいだと、あの娘は言うんですか？

ヘイル　そう。

エリザベス　（息をのんで）まあ！　あの娘は人殺しです！　この世から叩きだしてやらなければ！

チーヴァ　（エリザベスを指さして）聞きましたか、ヘイル牧師！　この世から叩きだせだと！　ヘリック、聞いたな！

プロクター　（チーヴァの手からいきなり逮捕状をひったくり）おまえこそ出て行け！

チーヴァ　プロクター、逮捕状を何と心得る。

プロクター　（逮捕状を引きさき）出て行け！

チーヴァ　よくも副知事の逮捕状を引きさいたな！

プロクター　副知事なんて、くそくらえ！　この家から出て行け！

ヘイル　これ、プロクター、プロクター！

プロクター　おまえも一緒に出てうせろ！　牧師の風上にも置けぬ。

ヘイル　プロクター、もしエリザベスが無実なら、法廷は――

プロクター　もしエリザベスが無実なら、だと！　パリスや、アビゲイルがはたして無実かどうか、考えてみたらどうだ？　告訴する側は、いつも神聖なのか？　奴らは生まれたばかりで、神の御指のように清らかとでもいうのか？　セイラムをわがもの顔でのし歩いているのは何か、教えてやろう――復讐という化け物だ。おれたちは昔ながらのセイラムの住民だ、それなのに今では、頭のいかれたガキどもがこの神の御国の鍵を握っている。つまらん復讐心が法律をつくる！　この逮捕状は復讐なのだ！　妻を復讐の手に渡すわけにはいかん！

エリザベス　あたし、行くわ、ジョン――

プロクター　行ってはならん！　これは法の掟だ、ジョン、動

ヘリック　外には九人の部下がいる。抵抗しても無駄だ。これは法の掟だ、ジョン、動かすことはできない。

プロクター　（ヘイルに、今にもつかみかからんばかりに）このまま連れて行かせるのか？

ヘイル　プロクターさん、法廷はただ――

プロクター　このピラト[訳註10]め！　そんな責任のがれは許されんぞ！

エリザベス　ジョン――やはり行かなければならないと思うわ。（プロクターは彼女を見るにしのびない）メアリ・ウォレン、朝のパンは、そこにあるわ。新しく焼くのは、午後にすればいい。実の娘のように旦那さんの世話をしておくれ――くれぐれも、頼んだよ。（泣くまいと懸命につとめる。プロクターに）子供たちが目をさましても、魔法のことは何も言わないで――怖がらせるだけだから。（あとを続けることができない）

プロクター　すぐ迎えに行くからな、すぐに。

エリザベス　ああ、ジョン、早く来てね！

プロクター　逆巻く海原のように法廷を襲ってやる！　何も怖れることはない、エリザベス！

エリザベス　（非常に不安そうに）怖れはしないわ。（部屋中を、心にきざみつけておこうとするかのように、見回す）子供たちには、誰かの病気見舞いに出かけたと言っておいて。

エリザベスはドアから外へ出る。ヘリックとチーヴァがあとに続く。ちょっとの間。プロクターは戸口から見送る。鎖の音ががちゃりと聞こえる。

プロクター　ヘリック！　ヘリック、鎖をかけるとは何事だ！　（ドアから飛びだして行く。外で）畜生、鎖などかけるな！　すぐ取れ！　そんなこと、させんぞ！　鎖をかけるなんて！

プロクターと争う男たちの声が聞こえる。ヘイルは、罪の意識と確信のなさにさいなまれて、外の様子を見まいと、戸口から戻ってくる。メアリ・ウォレンはわっと泣きだし、坐って涙にむせぶ。ジャイルズ・コーリイがヘイルに声をかける。

ジャイルズ　まだ黙っていなさるのか、ヘイル牧師？　これはペテンだ、自分でもペテンだと知りながら、何をためらいなさる、え？

プロクターは、足をふんばってさからいながらも、二人の役人とヘリックによって部屋に押し戻されてくる。

プロクター　仕返しは、かならずするからな、ヘリック！

ヘリック　（息を切らしながら）神の御名にかけて、ジョン、仕方がないんだ。誰にでも鎖はかけねばならん。さあ、おれが行ってしまうまで、家の中にいてくれ！

（部下たちと出て行く）

プロクターは、荒い息づかいのまま、そこに立つ。数頭の馬と一台の車のきしる音が聞こえる。

ヘイル　（確信がもてず不安になって）プロクターさん——

プロクター　出てうせろ！

ヘイル　慈悲と寛大な心を、プロクターさん。わたしが聞いた話でおかみさんに有利なことは、恐れず法廷で証言します。いかんせん、おかみさんが有罪か無罪か、わたしには判断がつかない——わからないのです。ただ、これだけは考えてほしい、世の中は狂ってしまっている、だから、事の起こりは一人の小娘の復讐からだなどと言っても、何にもならないのです。

プロクター　この卑怯者！　神様が涙ながらにおまえを牧師になさったのだろうが、おまえは卑怯者だ！

ヘイル　プロクターさん、神様はそんな些細なことでこんなにもご立腹になるとは思えない。牢屋はもういっぱいだ——最高の判事たちがセイラムに集まり——絞首刑の宣告がくだされようとしている。それだけの事があったにちがいない。殺人がおこなわれ、それがまだ明るみに出ないとか？　神を汚す行為とか？　ひそかに天に悪態をつくとか？　そういう原因を考え、それを突きとめるのに手をかしてください。それこそが、あなたの取るべき、そう、唯一の道です、このような混乱が世界を襲っているときには。（ジャイルズとフランシスのところへ行く）あなたがたも話し合ってほしい。村のためを思い、なぜこんな雷（いかずち）のような怒りが天から下されたか、考えてほしい。わたしたちの目を開いてくださるよう、神様に祈ってきます。

ヘイルは去る。

フランシス　（ヘイルの気持ちにうたれて）セイラムで殺人があったなんて、聞いたことがないな。

プロクター　（彼もヘイルの言葉に心を動かされている）一人にしてくれ、フランシス、一人に。

ジャイルズ　（動揺して）ジョン――これでもう、おしまいか？

プロクター　帰ってくれ、ジャイルズ。話は明日にしよう。

ジャイルズ　よく考えておいてくれ。朝早くこようか、え？

プロクター　うん。じゃ、これで。

ジャイルズ　では、おやすみ。

ジャイルズ・コーリイは出て行く。ちょっとした間。

メアリ・ウォレン　（怖そうな上ずった声で）　旦那さん、はっきりした証拠が出れば、きっとおかみさんは帰されますよ。

プロクター　おれと一緒に法廷にくるんだ。そして本当のことを言うんだ。

メアリ・ウォレン　アビゲイルに殺人の罪を負わせるわけにはいきません。

プロクター　（脅かすようにメアリの方へ寄り）　どうしてあの人形がここにあったか、誰が針を刺したか、法廷で言うんだ。

メアリ・ウォレン　そんなこと言ったら、アビゲイルに殺されちゃうわ！　（プロクターはさらにメアリの方へ寄る）　アビゲイルは姦淫の罪で旦那さんを訴えるわ！

プロクター　（立ちどまり）　あれがおまえに言ったのか！

メアリ・ウォレン　あたし、前から知ってました。アビゲイルは、それで旦那さんを破滅に追いこむつもりなんです。

プロクター　（ためらい、深い自己嫌悪にかられ）　よろしい。そうすれば、あいつの聖女づらも、ばけの皮がはがれよう。（メアリはプロクターからあとずさりする）　こうなれば、共に地獄におちるだけだ。知っていることをありのまま、法廷で言ってくれるな。

メアリ・ウォレン　（怖気をふるって）とんでもない、ひどい目にあわされるわ——

　プロクターは大股で歩いて行き、メアリをつかまえる。メアリは、「だめ、できない！」をくり返す。

プロクター　おれのせいで女房を死なせてたまるか！　是が非でも言わせてみせるぞ、女房を救うために！

メアリ・ウォレン　（彼から逃れようとしながら）だめ、できないわ！

プロクター　（メアリをしめ殺そうとでもするかのように、彼女の喉をつかみ）じたばたするな！　こうなれば、天国と地獄の乗るかそるかの戦いだ、何もかもかなぐり捨てるのだ——静かにしろ！　（メアリを床に投げ倒す。彼女はすすり泣きながら言う——「できないわ、できないわ……」やがてプロクターは、目をすえ、独りごとのように、開いているドアの方をむき、言う）静かに。これは神の摂理だ、何も大きな変化ではない。われわれは、これまでとちっとも変わりはしないのだ、ただ裸になっただけだ。（あたかも大きな恐怖にむかって進むかのように歩いて行き、ひろびろとした大空を仰ぐ）そう、裸になったのだ！　風が、神様の氷のように冷たい風が、吹きまくるだろう！

メアリは、すすり泣きながら、何度も何度も、「できないわ、できないわ」とくり返す。

――幕おりる――

第三幕

セイラムの教会の聖具室、今は植民地議会が設置した法廷の控室として使われている。

幕があがると、部屋には誰もおらず、後方の壁にある二つの高い窓から、日の光がさんさんと差しこんでいるだけである。部屋は荘厳で、近づきがたい趣さえある。重い梁が突きだし、いろいろな幅の板を張って壁にしている。右手にはドアが二つあり、母屋の教会堂に通じている。法廷はそこで開かれている。左手にもう一つドアがあり、これは外に通じる。

左手に質素なベンチがあり、右手にもベンチが一つある。中央にはやや長い会議用のテーブルがあり、そのまわりに腰掛（スツール）数脚とかなり大きな肘掛椅子一脚がきちんと寄せられている。

右手の仕切りの壁をとおして、訴追者の声、すなわちホーソーン判事が訊問する声がきこえる。それから女の声、マーサ・コーリイの答える声がきこえる。

ホーソーンの声　ところでマーサ・コーリイ、おまえが運勢占いにこっていたことを示す、かずかずの証拠があがっている。これを否認するのか？

マーサ・コーリイの声　魔女のことなら、身におぼえがありません。魔女がどんなものかも知りません。

ホーソーンの声　それなのに、よくわかるな、自分が魔女でないことが？

マーサ・コーリイの声　かりに自分が魔女なら、それはわかるでしょうよ。

ホーソーンの声　なぜおまえはこの子たちを傷つけるのか？

マーサ・コーリイの声　傷つけたりしません。とんでもない！

ジャイルズの声　（どなって）法廷に出したい証拠がある！

町の人たちの興奮した声が高まる。

ダンフォースの声　席を立ってはならぬ！

ジャイルズの声　トマス・パトナムは土地が欲しいんだ！
ダンフォースの声　警察署長、あの男を退廷させよ！
ジャイルズの声　おまえらが聞いているのは、嘘っぱちばかりだ！

どよめきが人々のあいだから起こる。

ホーソーンの声　逮捕しましょう、閣下！
ジャイルズの声　証拠があるんだ。なぜわしの証拠を聞こうとしない？

ドアがあき、ジャイルズがヘリックに半ば引きずられるようにして、聖具室へ入ってくる。

ジャイルズ　手を放せ、こいつ、放せよ！
ヘリック　ジャイルズ、ジャイルズ！
ジャイルズ　邪魔するな、ヘリック！　証拠を持っているんだ――
ヘリック　そっちへ行ってはならん、法廷なのだ！

ヘイルが法廷から入ってくる。

ヘイル　どうか、ちょっと、お静かに。

ジャイルズ　ヘイル牧師、中へ行って、わしにしゃべらせるよう言っとくれ。

ヘイル　まあ、まあ。

ジャイルズ　女房が縛り首になるんだ！

ホーソーン判事が登場。彼は六十歳代で、無情で冷酷なセイラムの判事。

ホーソーン　どうして法廷にどなりこんだりするのだ？　気でも狂ったのか？

ジャイルズ　あんたはまだボストンの判事さまじゃねえよ、ホーソーン。言葉に気をつけな！

副知事のダンフォースが入ってくる。そのあとにエゼキエル・チーヴァとパリスが続く。ダンフォースの登場で、一同沈黙。ダンフォースは六十歳代で貫禄があり、ユーモアやしゃれも少しはわかるが、それは彼の地位と使命の遂行の妨げとはならない。彼はジャイルズのところへやって来る。ジャイルズは彼の激しい怒りを覚悟する。

ダンフォース　（ジャイルズを見据えて）この男は何者だ？

パリス　ジャイルズ・コーリイと申します、争いの好きな――

ジャイルズ　（パリスに）訊かれたのはわしだ、答えられんような青二才ではない！（ダンフォースにむかい――彼はダンフォースに好感をもち、緊張しながらも笑顔をみせる）名前はコーリイ、ジャイルズ・コーリイです。六百エーカーの土地と、それに森林を持っとります。今あなたに裁かれているのは、わしの女房ですじゃ。（法廷の方をさす）

ダンフォース　あんなふうに騒ぎ立てれば、女房が助かるとでも思ったのかね？　行くがよい。歳(とし)に免じて、投獄は見合わせてやる。

ジャイルズ　（嘆願しはじめる）家内のことでは、みんな嘘ばっかり言っとるのです、わしは――

ダンフォース　おまえは、この法廷が何を信じ、何を斥けるべきかを、自分で決めようというのか？

ジャイルズ　閣下、わしはなにもそんな不遜な——

ダンフォース　いいや、不遜だ！　反逆行為だ。これは当地方の最高政府の最高法廷だ、わかっておるのか？

ジャイルズ　（泣きはじめる）閣下、わしはただ、妻が本を読んでいると言っただけです、それなのに役人が来て、妻を連れていったのです——

ダンフォース　（ふしぎそうに）本？　何の本だ？

ジャイルズ　（絶望してすすり泣きしながら）あれは三度目の女房です。本の好きな女房なんて初めてなので、どうしてなのか、知りたいと思ったです。だから、別に魔女と言ったわけではありません。（おいおい泣きだす）わしは妻を裏切ってしまった、妻の愛を——（恥じて、顔を覆う。ダンフォースは感に耐えたように無言）

ヘイル　閣下、この男は妻を弁護するための固い証拠を持っていると言っています。この際、公正を期して——

ダンフォース　それでは、その証拠を、しかるべき宣誓供述書として提出させるがよい。法廷の手続きについては、よくご存知のはず、ヘイル牧師。（ヘリックに）この部屋から人払いを。

ヘリック　さあ、こい、ジャイルズ。（やさしくコーリィを押しだす）

フランシス　わしらはもう絶体絶命です。ここへ来て三日になりますが、何も聞いてもらえません。

ダンフォース　この男は誰だ？

フランシス　フランシス・ナースです、閣下。

ヘイル　これの妻が、けさ判決をうけたレベッカです。

ダンフォース　ほう！　あんたがこんなふうに騒ぎたてるとは意外だな。よくできた人間だと聞いていたが。

ホーソーン　二人とも、法廷侮辱の罪で逮捕すべきだと存じます。

ダンフォース　（フランシスに）嘆願書を出すがよい、そうすれば、いずれわたしが——

——

フランシス　閣下、はっきりした証拠があるのです。どうぞ、それに目をおとじにならぬよう。あの娘たちは、ペテンなのです。

ダンフォース　何だと？

フランシス　その証拠がございます。みんなして閣下を欺いているのです。

ダンフォースは愕然とするが、フランシスを凝視する。

ホーソーン　法廷に対する侮辱だ、これは！

ダンフォース　静かに、ホーソーン判事。わたしが誰か、知っているのかね、ナースさん。

フランシス　まことに当を得た、賢明な判事と存じます。

ダンフォース　マーブルヘッドからリンに至る間、四百人近くの者が投獄されたことを知っているか、しかもわたしが署名した上で？

フランシス　わたしは——

ダンフォース　そして七十二名が、その署名によって、絞首刑の判決をうけた。

フランシス　閣下、立派な判事さまに申しあげることではありませんが、閣下はだまされておいでなのです。

ジャイルズ・コーリイが左手から登場。一同がふり返ったとき、ジャイルズがメアリ・ウォレンとプロクターを招き入れる。メアリは目を伏せて下をむいたままである。プロクターは、まるでメアリが今にもくずれ倒れるかのように、彼女の肘を持っている。

パリス　（メアリを見て、びっくりして）メアリ・ウォレン！　（まっすぐに彼女のところへ行き、その顔をのぞきこむ）どうしてここへ来たんだ？

プロクター　（パリスを彼女から、穏やかではあるが断固とした、かばうような態度で押しのける）この娘から副知事に申しあげることがございます。

ダンフォース　（びっくりして、ヘリックの方をむき）メアリ・ウォレンは病気で寝ていると言ったのではないか？

ヘリック　さようです、閣下。先週つれに行ったとき、病気だと自分で申していました。

ジャイルズ　この一週間、自分の魂とたたかっておったのです、閣下。そして今、真実を話しにやって来たのです。

ダンフォース　この男は誰だ？

プロクター　ジョン・プロクターでございます。エリザベス・プロクターはわたしの妻です。

パリス　この男にはご用心を、閣下。危険人物です。

ヘイル　（興奮して）まずこの娘の言うことをお聞きになるべきだと思います、この娘は――

ダンフォース　(メアリ・ウォレンに非常に興味をもっており、軽く片手をあげてヘイルを制する)静かに。何が言いたいのだね、メアリ・ウォレン？

プロクターはメアリを見つめるが、彼女は口がきけない。

プロクター　悪霊なんか、一度も見たことがないのです。

ダンフォース　(非常に驚き、びっくりして、メアリに)悪霊を見たことがない！

ジャイルズ　(勢いこんで)そうなんです！

プロクター　(ジャケットの中へ手をいれて)宣誓証書に署名いたしました――

ダンフォース　(即座に)いや、いや、宣誓証書は受理しない。(急いでこれについて考えをめぐらす。メアリからプロクターの方へむき)ところで、プロクター、この話を村の人たちにしたか？

プロクター　しません。

パリス　この連中は法廷を引っくり返しにやって来たのです！　この男は――

ダンフォース　どうか、パリス牧師。知っておるか、プロクター、この裁判の争点は、天の声が子供たちを通して語られているのだということを？

プロクター　知っております。

ダンフォース　（プロクターをじっと見ながら、考える。それからメアリ・ウォレンの方をむき）では、メアリ・ウォレン、どうしておまえは、自分に悪霊をとりつかせたと言って、いろんな人たちの名前をあげたのだね？

メアリ・ウォレン　ふりをしただけです。

ダンフォース　声が聞こえんな。

プロクター　ふりをしただけだ、と申しております。

ダンフォース　ほう？　では、ほかの娘たちは？　スザンナ・ウォルコットや――他の者は？　やはり、そういうふりをしているだけなのか？

メアリ・ウォレン　はい。

ダンフォース　（目を大きく見開いて）なるほどそうか。（間。がっくりする。プロクターの方をむき、その顔をじっと見る）

パリス　（冷や汗をかいて）閣下、よもやこんな戯言（たわごと）を法廷でお取りあげになりますまいね！

ダンフォース　もちろんだ、だが、この子がそんな話をしにわざわざやって来たというのが、ひっかかる。ところで、プロクター、話を聞くかどうか決める前に、言っておかねばならぬことがある。われわれはここで灼熱の火をもやしている。その火はあらゆる隠しごとをとかす。

プロクター　知っています。

ダンフォース　さらに言えば、夫の愛情は、妻を弁護せんとするあまり、途方もないことをしでかしかねないおそれもある。良心にかけて、おまえは証拠が真実であると言いきれるか？

プロクター　はい。きっと閣下にもおわかりいただけるでしょう。

ダンフォース　この意外な事実を、法廷で公衆の前で、明らかにしたいというのだな？

プロクター　さようでございます、はい――お許しがあれば。

ダンフォース　（目をけわしく細めて）で、それをする目的は何か？

プロクター　はい、その――妻を釈放していただきたいからです。

ダンフォース　この法廷をくつがえしたいという願いが、おまえの心のどこかに潜んでいたり、精神のかげに隠れていたりはすまいな？

プロクター　（かすかに口ごもって）いえ、ございません。

チーヴァ　（咳払いをして、注意をひき）わたしから――閣下。

ダンフォース　よろしい、チーヴァ。

チーヴァ　これはわたしの義務と考えますので――（プロクターへ、やさしく）わかってくれるね、ジョン。（ダンフォースに）わたしたちがこの男の妻を連れに行きましたとき、彼は法廷を罵倒し、閣下の逮捕状を引きさきました。

パリス　それみたことか！

ダンフォース　そんなことをしたのか、ヘイル牧師？

ヘイル　（一息ついて）はい、しました。

プロクター　つい、かっとなって……何が何だかわかりませんでした。

ダンフォース　（じっとプロクターを見て）プロクター。

プロクター　はい、閣下。

ダンフォース　（彼の目を直視して）これまで悪魔を見たことがあるか？

プロクター　ございません。

ダンフォース　おまえはあらゆる点で、神の福音を信じるキリスト教徒といえるか？

プロクター　はい、閣下。

パリス　ひと月に一度しか教会にこないキリスト教徒か！

ダンフォース　（自分を抑えて――興味をもつ）教会へこない？

プロクター　わたしは――パリス牧師が好きではないのです。別に隠しだてはしません。しかし、神様は心から愛しております。

チーヴァ　日曜日に畑仕事をしています。

ダンフォース　日曜日に畑仕事を！

チーヴァ　（弁解するように）これは証拠だものな、ジョン。法廷の役人として、黙っているわけにいかんのだ。

プロクター　それは――一度や二度は、日曜日に仕事をしたことがあります。子供が三人いて、昨年まではろくに収穫がありませんでした。

ジャイルズ　実をいえば、日曜日に畑仕事をするキリスト教徒は、ほかにもまだいます。

ヘイル　閣下、そういう証拠でこの男をお裁きになってはいけません。

ダンフォース　何も裁いてはいない。（間。プロクターを見続ける。プロクターはその視線を受けとめようとする）率直に言って――この法廷では、さまざまな不思議なことを見た。わたしの目の前で、人々が悪霊のために息ができなくなったり、針が刺さっていたり、短刀で切られていたりするのを見た。今までのところ、子供たちがわたしを欺いていると疑うにたる理由は毫（ごう）もない。わかるな、わたしの言う意味？

プロクター　閣下、おかしいとはお思いになりませんか、訴えられた女たちの多くが、評判のいい、立派な生き方をしてきた人たちであることを——

パリス　福音書を読んでいるか、プロクター？

プロクター　読んでいます。

パリス　そうではあるまい。読んでいれば、カインが立派な男でありながら、アベルを殺した[訳註11]ことを知っているはずだ。

プロクター　はい、神様はそうおっしゃっています。（ダンフォースに）ですが、レベッカ・ナースが悪霊をとりつかせて七人の赤ん坊を殺したと、誰が言うのですか？　あの子供たちだけです。しかも、その中の一人が、嘘をついたと証言しようというのです。

ダンフォースは考える。それから合図をして、ホーソーンをそばへよぶ。ホーソーンは身をかがめる。ダンフォースはホーソーンの耳もとでささやく。ホーソーンはうなずく。

ホーソーン　はい、彼女がそうです。

ダンフォース　プロクター、けさ、おまえの妻はわたしに書類を提出し、そのなかで自分は妊娠していると申しておる。

プロクター　妻が妊娠！

ダンフォース　その兆候はない——からだを調べたが。

プロクター　しかし、エリザベスが妊娠というからには、間違いありません！　あの女は決して嘘は言いません、ダンフォース閣下。

ダンフォース　嘘は言わぬ？

プロクター　絶対に、閣下。

ダンフォース　時が時ゆえ、にわかに信じがたかったが、あとひと月置いて様子をみることにしよう。もし妊娠の兆候を示したら、出産まで一年、刑を猶予する——これでどうかな？　（ジョン・プロクターは唖然として黙りこむ）どうだね、おまえの目的は、ただ妻を助けることだという。それなら、よろしい、おまえの妻は少なくとも今年いっぱい助かることになる。一年は長い。どうだね？　これで決まったな。（プロクターは、思い惑いながら、フランシスとジャイルズを見る）この訴えを取りさげるな？

プロクター　いや——それはできません。

ダンフォース　（彼の声には心なしか、かすかに厳しさが感じられる）それでは、おまえの目的は、もう少し大きいというわけだ。

パリス　この法廷をひっくり返しに来たのです、閣下！

プロクター　この人たちはわたしの友人です。やはり妻を告訴されて――

ダンフォース　（急にきびきびした態度で）おまえを裁きはしない。証拠を聞くとしよう。

プロクター　法廷を傷つけに来たのではありません、ただ――

ダンフォース　（彼をさえぎって）警察署長、法廷へ行って、ストートン判事とシューウォル判事に、一時間の休廷を宣言するよう言いなさい。そうしたければ、宿屋へ行ってもよいと。証人と囚人はみんな、この建物内にとめおくこと。

ヘリック　はい、閣下。（非常にうやうやしく）こう申しては何ですが、この男を昔から知っております。いい男でございます。

ダンフォース　（非難されたと感じて、腹を立てる）わかっている、署長。（ヘリックはうなずき、去る）で、どんな宣誓証書を提出しようというのか、プロクター？それから、言っておくが、何事もつつみ隠さず、正直であってほしい。

プロクター　（いくつかの書類を取りだしながら）なにぶん、法律にはうといもので―

――
ダンフォース　心さえ清らかなら、弁護士は必要としない。思ったとおり、書けばよい。
プロクター　（ダンフォースに一つの書類を渡し）まず、これをお読みくださいますか？　一種の誓約書です。これに署名した人たちは、レベッカと、わたしの妻と、マーサ・コーリイを、高く評価しております。（ダンフォースは書類に目をおとす）
パリス　（ダンフォースのあてこすりに便乗して）高く評価、か！　（だが、ダンフォースは読みつづける。プロクターは元気づく）
プロクター　みんな土地を持っている百姓で、教会の信者です。（控え目に、文章の一節に注意をむけさせようとしながら）お気づきでしょうが――みんなはこの女たちを長年知っており、悪魔と取引きした様子はないと言っています。

パリスはいらいらと動き回り、ダンフォースの肩越しに読む。

ダンフォース　（長い名簿を見ながら）何人の名前があるのかね？
フランシス　九十一名です、閣下。

パリス　（汗をかいている）この連中を呼びだすべきです。（ダンフォースはいぶかしげにパリスを見る）訊問するために。

フランシス　（怒りで震えながら）ダンフォース閣下、これに署名しても、迷惑がかかるようなことはないと、はっきりみんなに約束したんです。

パリス　これは明らかに、法廷に対する攻撃だ！

ヘイル　（パリスに、自制しようと努めながら）弁護をするための反証がすべて法廷に対する攻撃といえるかな。そうであれば、誰も――

パリス　罪のないキリスト教徒はみんな、セイラムに法廷が開かれたことを喜んでいます！　浮かぬ顔しているのは、この連中だけだ。（ダンフォースに直接に）この連中の一人ひとりから、閣下の何が不満なのか、おききになればいいでしょう！

ホーソーン　彼らを取り調べるべきでしょう。

ダンフォース　かならずしも法廷に対する攻撃とは思わぬが――

フランシス　みんな神に誓約したキリスト教徒でございます。

ダンフォース　それなら、何も恐れることはあるまい。（チーヴァに書類を渡す）チーヴァ、この連中みんなの令状を作ってくれ――訊問のため逮捕だ。（プロクターへ）さて、次はどんな情報をお持ちかな？　（フランシスはおびえて、立ちすくんでいる）腰をおろしたら、ナースさん。

フランシス　みんなにとんでもない迷惑をかけてしまった。わたしは――

ダンフォース　いや、別に、誰にも迷惑はかからない、この人たちが立派な良心を持っていれば。しかし、わかってもらわねばならぬ、村人たちの立場は一つ、この法廷に賛成か、それとも反対とみなされるかのいずれかだ、中間はない。今はきびしい時代だ、熾烈な時だ――われわれはもはや、悪が善とまじって世界をまどわす黄昏に生きているのではない。今こそ、神のお恵みにより、輝かしい太陽が昇り、光明を恐れぬ人は必ずやそれを称えるであろう。おまえもその一人であることを祈る。（メアリ・ウォレンが急に泣きじゃくる）からだが弱っているらしいな。

プロクター　はい、さようでございます。（メアリに――彼女の方に体をかがめ、その片手をとり、静かに）天使ラファエルが少年トビアス(訳註12)へ言った言葉を思いだすんだよ。いいね。

メアリ・ウォレン　（ほとんど聞こえないくらいに）はい。

プロクター　「善きことをなせ、さらば害は汝にきたらず」

メアリ・ウォレン　はい。

ダンフォース　さあ、プロクター、待っているのだ。

警察署長のヘリックが戻ってきて、ドアのそばの自分の位置につく。

ジャイルズ　ジョン、わしの宣誓証書を、あれを渡してくれ。

プロクター　うん。（ダンフォースに別な書類を渡す）これはジャイルズ・コーリイの宣誓証書です。

ダンフォース　そうか。（それに目を通す。ホーソーンが背後に来て、一緒に読む）

ホーソーン　（疑わしげに）どこの弁護士がこれを書いたのか、コーリイ？

ジャイルズ　わしがこれまで一度も弁護士をやとったことがないくらい、知っておろうが、ホーソーン。

ダンフォース　（読みおえて）なかなかよく書けている。立派なものだ。パリス牧師、パトナムさんが法廷にいたら、連れてきなさい。（ホーソーンは宣誓証書を取り、それを持って窓のところへ行く。パリスは法廷に去る）法律の教育は受けておらぬのだろう、コーリイ？

ジャイルズ　（気をよくして）最高のを受けましたさ——これまで法廷に立つこと三十三回。いずれも原告でして。

ダンフォース　ずいぶん騙された、というわけか。

ジャイルズ　騙されたことは一度もない、自分の権利を知っとるだけでさ、これは大事だからね。実は、あなたのお父上がわしの訴えを裁いてくれましてな――かれこれ三十五年前になりますかな。

ダンフォース　ほう。

ジャイルズ　父上は、そのこと、お話しにならんかったですか？

ダンフォース　いや、思いだせんな。

ジャイルズ　それは不思議だ、父上はわしに損害賠償として九ポンドくださった。公正な判事さんでしたよ、父上は。あの時は、わしが白い牝馬を持っていて、それを借りにきた相手というのが――（パリスがトマス・パトナムと共に登場。パトナムを目にすると、ジャイルズの気楽さは消え、こわばる）いやな奴が入って来おった。

ダンフォース　パトナム君、コーリィ老人からきみに対して告訴状が出ている。きみが冷酷にも自分の娘をそそのかして、いま獄中にいるジョージ・ジェイコブズを魔法使い呼ばわりしたというのだ。

パトナム　嘘です。

ダンフォース　（ジャイルズの方をむき）パトナムはおまえの訴えを嘘だと言っている、

何か言い分はあるかね？

ジャイルズ　（激昂して、こぶしを握りしめ）トマス・パトナムなんか、くそくらえ、これが言い分でさ！

ダンフォース　訴因に対する証拠は何かね？

ジャイルズ　それが証拠でさ！　（書類を指さす）もしジェイコブズが魔法使いのかどで絞首刑になりゃ、その土地は没収される――それが法律でさ！　ところが、あんな大きな土地を現金で買えるのは、パトナム以外にはありませんや。この男は土地を目あてに近所の者をつぎつぎに殺しとるんです！

ダンフォース　しかし証拠は、その証拠は。

ジャイルズ　（自分の宣誓証書を指さして）証拠はそれでさ！　パトナムがそう言うのを聞いたという、正直な男からの聞き書きです！　あいつの娘がジェイコブズを告発した日に、あいつは言ったんです、娘がたいそうな土地の贈り物をしてくれたって。

ホーソーン　その男の名前は？

ジャイルズ　（不意をつかれて）名前って、誰の？

ホーソーン　おまえにその情報をくれた男だ。

ジャイルズ　（ためらって、それから）いや、それは——言うわけにはいかん。
ホーソーン　なぜだね？
ジャイルズ　（ためらい、それから、どなる）なぜだか、よく知っているくせに！　名前を聞きだし、とっつかまえて牢屋にぶちこむ腹なんだ！
ホーソーン　これは法廷侮辱罪です、ダンフォース閣下！
ダンフォース　（それを回避しようとして）どうか名前を言ってくれ。
ジャイルズ　名前は絶対に言いません。一度家内の名前をだしたばかりに、地獄の苦しみを味わうことになった。黙秘します。
ダンフォース　そうなると、おまえを法廷侮辱のかどで逮捕せざるをえないが、わかっているか？
ジャイルズ　これは非公式な審問です、それを侮辱したからって、牢にほうりこむわけにはいきませんや。
ダンフォース　ほう、いや、なかなかの弁護士だ！　では、ここで法廷の正式な開廷を宣言しようか？　それとも、ちゃんと答えるか？
ジャイルズ　（口ごもって）名前は言えない、どうしても。
ダンフォース　ばかな老人だ。チーヴァ、記録をとれ。今から正式の法廷を開く。コーリイにきくが――

プロクター　（口をはさむ）閣下――コーリイは内証にするからとその話をきいたのです、だから――

パリス　悪魔はその内証事につけこむのだ！　（ダンフォースに）陰謀は、すべて内証事に発するのです、閣下！

ホーソーン　ぜひとも白状させなければなりますまい。

ダンフォース　（ジャイルズに）いいかね、おまえにその打明け話をした男が、もし真実を語っているのなら、堂々とここへ来させるがよい。だが、もし名前をださずに隠れていたいというのなら、その理由を知らねばならぬ。さあ、政府ならびに中央教会は、おまえに、トマス・パトナムが名うての人殺しだと告げた男の名前を明かすことを要求する。

ヘイル　閣下――

ダンフォース　ヘイル牧師。

ヘイル　これ以上、見て見ぬふりをするわけにはいきません。この地方には、法廷に対する異常な恐怖がひろがっております――

ダンフォース　それなら、この地方に異常な罪がひろがっているというわけだ。あなた自身も、ここで訊問されることを恐れておいでか？

ヘイル　わたしが恐れるのは神だけです。だが、それでも、この地方に恐怖がひろがっているのです。

ダンフォース　（怒りだす）この地方に恐怖がひろがっているからといって、わたしを責めるのはよせ。キリストを倒そうとする由々しき企みがあるからこそ、恐怖がひろがるのだ！

ヘイル　だからといって、起訴された者すべてがその加担者とは限りません。

ダンフォース　堕落していなければ、誰もこの法廷を恐れるはずがない、ヘイル牧師！　誰もな！　（ジャイルズに）法廷侮辱の罪でおまえの身柄は拘束する。坐って、よく考えるがよい。さもなくば、すべての訊問に答える気になるまで、牢に入れておくぞ。

ジャイルズはパトナムに飛びかかろうとする。プロクターがおどり出て、ジャイルズを抱きとめる。

プロクター　よせ、ジャイルズ！

ジャイルズ　（プロクターの肩越しにパトナムにむかい）その喉をかき切ってやる、パトナム、きっと殺してやる！

プロクター　（無理にジャイルズを椅子に坐らせ）おちつけ、ジャイルズ、おちつくんだ！（ジャイルズから手を放し）証明してみせるさ。かならず。（きびすを返してダンフォースの方へ行きかける）

ジャイルズ　もう何も言うな、ジョン。（ダンフォースをさし）からかわれるのがおちだ！　おれたちみんなを縛り首にするつもりなんだ！

メアリ・ウォレンが激しくすすり泣きはじめる。

ダンフォース　ここは神聖な法廷だ。勝手な真似は許さぬぞ！

プロクター　この男をお許しください、歳に免じて。静かに、ジャイルズ、いま証明してみせるから。（メアリの顎をあげて）泣くのではない、メアリ。思いだすんだ、ラファエル天使を、天使が少年に言った言葉を。それにすがるんだ。それを支えにするのだ。（メアリは静まる。プロクターは一つの書類を取りだして、ダンフォースの方をむく）これはメアリ・ウォレンの宣誓証書でございます。それをお読みいただく間、この娘が二週間前までは、今日ほかの子供たちがしているのと何ら異なるところがなかったことを、思いだしていただきたい。（プロクターは、恐怖、怒り、不安のすべてを抑えて、おだやかに話す）閣下は、この子が金切り声をあげ、悪霊にとりつかれて息がとまりそうだ、と泣きわめくのをごらんになりました。悪魔が、いま牢屋にいる女たちの姿をかりて、この子の魂を取りこもうとしたとも証言しました、そしてそれを拒否すると——

ダンフォース　そんなことはみんな知っている。

プロクター　はい、閣下。ところが今になって、悪魔はもちろんのこと、悪魔が彼女を傷つけようと送った使い魔など、形のあるなしにかかわらず、一度も見たことがないと誓っております。そして彼女の友達は今なお嘘を言い続けているのだと申しております。

プロクターは宣誓証書をダンフォースに渡そうとする。ヘイルは震えながらダンフォースのそばに寄る。

ヘイル　閣下、ちょっと。これは問題の核心をついていると思います。

ダンフォース　（深い疑念を感じ）確かにそうだな。
ヘイル　この男が心正しき者かどうかはわかりません、よく知らないから。しかし、何はともあれ、このような重大な提訴を一農夫に委せるべきではありません。神の御名において、ここで打ち切り、彼を家にかえし、弁護士同道のうえ出頭させてください——
ダンフォース　（忍耐強く）ねえ、いいかな、ヘイル牧師——
ヘイル　閣下、わたしはこれまで七十二通の死刑執行令状に署名しました。わたしは神につかえる牧師です、良心に恥じない、一点の疑惑もない証拠がないかぎり、一命たりとも奪うことはできません。
ダンフォース　ヘイル牧師、わたしの裁きに疑いを抱いているのではないだろうな。
ヘイル　わたしは今朝レベッカ・ナースの死の令状に署名しました、閣下。何を隠しましょう、この手は傷でもうけたように、まだ震えているのです！　どうか、この申し立ては弁護士を通してさせてください。
ダンフォース　ヘイル牧師、深い学識をきわめた人にしては、あなたはまことに頼りない——失礼だが。わたしは裁判官を三十二年間しているが、かりにこの連中を弁護せよと言われても、どうにも困るな。考えてみるがよい——（プロクターおよび他の人たちに）ほかの者たちもみんなだ。通常の犯罪では、どのように被告を弁護するか？　証人を呼んで、無実を証明すればよい。ところが魔法は、その名が示すが如く、外見的にも本質的にも、目に見えない犯罪である、そうだな？　だとすれば、誰がそれについて証言できる？　魔女と被害者だ。ほかにはない。では、魔女がみずからを告発することがありえようか？　ない。それゆえ、頼るところは被害者だけだ――現に被害者、子供たちは証言している。魔女に関しては、告白こそが証拠であることは、何人も否定しえない。それゆえ、弁護士にあと何をせよというのか？　これでわたしの論点は明らかだと思う。どうだな？

ヘイル　しかし、この子は、娘たちが真実を述べていないと言っています。もしそうだとすると――

ダンフォース　それはわたしもこれから考えようとしているのだ。まだ何かききたいことがあるか？　わたしの廉潔を疑っているのではあるまいな？

ヘイル　（くじけて）そんなことはありません。よろしくご配慮を。

ダンフォース　安心するがいい。プロクター、メアリ・ウォレンの宣誓証書を。

プロクターはそれを彼に渡す。ホーソーンは立ちあがり、ダンフォースの横に行き、読みはじめる。パリスがその反対側の横にくる。ダンフォースはジョン・プロクターをじっと見つめ、それから読みはじめる。ヘイルも立ちあがり、ホーソーンの近くに位置を見つけ、読む。プロクターはジャイルズをじっと見る。フランシスは手を合わせ、無言のまま祈る。チーヴァは、職務に忠実な役人然として、神妙に待つ。メアリ・ウォレンはまた泣きじゃくる。ジョン・プロクターは安心させるように、彼女の頭にふれる。やがてダンフォースは目をあげ、立ちあがり、ハンカチを取りだし、音をたてて鼻をかむ。彼が考えにふけりながら窓の方へ行くと、他の人たちは道をあける。

パリス　（自分の怒りと恐怖を抑えきれないように）訊問したいことがあります――

ダンフォース　（初めて本当に感情を爆発させる。そのなかにはパリスに対する軽蔑がありありとうかがえる）黙りたまえ、パリス牧師！　（窓の外を見ながら、黙って立つ。それから、みずからの取るべき処置を決めて）チーヴァ、法廷へ行って、子供たちをここに連れてきてくれんか？　（チーヴァが立ちあがり、舞台奥へ去る。ダンフォースは今度はメアリの方をむき）メアリ・ウォレン、おまえはどうして前言をひるがえしたのだ？　プロクターに脅かされて、この宣誓証書に署名したのか？

メアリ・ウォレン　いいえ。

ダンフォース　これまでプロクターから脅かされたことがあるか？

メアリ・ウォレン　(前よりも弱々しく)　いいえ。

ダンフォース　(弱々しくなったことを感じ)　脅かされたんだな。

メアリ・ウォレン　いいえ。

ダンフォース　それでは、法廷で平然と嘘をついたというのだな、みんながおまえの証言で絞首刑になるのを知りながら？　(彼女は答えない)　返事をせい！

メアリ・ウォレン　(ほとんど聞きとれないくらいに)　はい。

ダンフォース　これまで、どんな教えをうけてきたのだ？　嘘つきはみんな、神様の罰をうけるということを知らないのか？　(彼女は口がきけない)　それとも、今言っていることが嘘なのか？

メアリ・ウォレン　いいえ——今は神様と共におります。

ダンフォース　今は神様と一緒か。

メアリ・ウォレン　はい、閣下。

ダンフォース　(自分を抑えて)　いいかね——おまえはいま嘘をついているか、それとも法廷で嘘をついたかのどちらかだ。いずれにせよ、偽証罪を犯したことになり、おまえは牢屋にいれられる。軽々しく、嘘をついたなどとは言えんわけだ、メアリ。わかっているな？

メアリ・ウォレン　もう嘘はつきません。神様に誓います、神様と共にあります。

しかし、メアリは、思いあまったように、急にすすり泣きはじめる。右手のドアが開き、スザンナ・ウォルコット、マーシイ・ルイス、ベティ・パリス、そして最後にアビゲイルが入ってくる。チーヴァがダンフォースのところへ行く。

チーヴァ　ルース・パトナムは法廷におりません、それに他の子供たちも。

ダンフォース　これだけいれば充分だ。お坐り、みんな。（子供たちは黙々と腰をおろす）おまえたちの友達のメアリ・ウォレンが宣誓証書を提出した。それによるとメアリは、一度も、使い魔や、悪霊や、その他悪魔の動きらしいものは見たことがないと言っている。それのみか、おまえたちも誰一人こういうものを見たことがないと申している。（短い間）ところで子供たち、ここは正式な法廷である。聖書にもとづいた法律と、全能の神の書き給うた聖書は、魔法を禁じ、それをおこなう者は死罪と定めている。しかり而してまた、法および聖書は、偽りの証拠をたてる者を厳にいましめている。(訳註13) (短い間) ところでだ、この宣誓証書はあるいはわれわれの目をくらますために捏造されたとの感も拭いえない。メアリ・ウォレンが悪魔に屈し、われわれの聖なる目的をまどわすために、ここに送られてきたとも考えられる。もしそうなら、メアリ・ウォレンの首は折れて死ぬであろう。しかし、もしメアリが言うのが真実なら、おまえたちは邪な企みをやめ、偽りをただちに告白せよ。告白が早ければ、罪も軽くなるであろう。(間) アビゲイル・ウィリアムズ、立て。(アビゲイルはゆっくりと立つ) この宣誓証書に真実があるか？

アビゲイル　いいえ、閣下。

ダンフォース　(考える。メアリを見やり、それからアビゲイルに視線をもどす) 子供たちよ、おまえたちの正直さが証明されるまで、錐のように鋭い質問がおまえたちの魂にむけられよう。今のうちに態度を変える者はおらぬのか、このままきびしい訊問をうけようというのか？

アビゲイル　何も変えるものはございません。メアリ・ウォレンは嘘をついているのです。

ダンフォース　（メアリに）おまえの言い分も変わらないな。
メアリ・ウォレン　（かすかに）はい。
ダンフォース　（アビゲイルの方をむき）プロクターの家で、針が一本刺さった人形が見つかった。メアリ・ウォレンは、法廷で自分がそれを作っているとき、おまえが隣りに坐って見ていた、そして失くさないよう針を人形に刺したのも目撃したはずだと述べている。どうだな？
アビゲイル　（少し憤慨した口調で）そんなこと、嘘です。
ダンフォース　（短い間のあとで）プロクターのところで働いていたとき人形の類いを見たことがあるか？
アビゲイル　プロクターのおかみさんは、いつも人形を飾っていました。
プロクター　閣下、家内は人形など持ったことがありません。メアリ・ウォレンは、あれは自分の人形だと白状しています。
チーヴァ　閣下。
ダンフォース　チーヴァ。
チーヴァ　あの家でプロクターのおかみさんと話したとき、人形は持ったことはない、もっとも子供の頃はあったけれど、と申していました。

プロクター　子供の頃といえば、十五年も前のことです、閣下。

ダンフォース　しかし、人形は十五年ぐらいもつだろう、え？

プロクター　もたせようとすれば、もつでしょう。しかし、メアリ・ウォレンは言っているのです、わたしの家で人形なんか見たことがないと。ほかのみんなも。

パリス　人目にふれないところにだって、隠しておけるわけだ。

プロクター　（激怒して）そんなこと言えば何でも隠しておけるさ、五本足の竜だって。

パリス　わたしたちがここに集まっているのは、閣下、まさに人の目にふれなかったものを発見するためです。

プロクター　閣下、この娘が前言をひるがえして、何の益があるでしょう？　メアリ・ウォレンに何の得がありますか、苛酷な訊問や、それよりもひどい目にあうだけです。

ダンフォース　おまえはアビゲイル・ウィリアムズに、おそるべき冷酷な殺人の罪をきせようとしているのだぞ、わかっているのか？

プロクター　わかっています。あの娘は殺人をもくろんでいると思っています。

ダンフォース　（アビゲイルを指さし、信じられないように）こんな子供がおまえの妻を殺そうとするだろうか？

プロクター　あれは子供ではありません。どうかお聞きください。この娘は今年になって二度ほど、お祈りの最中に笑ったので、教会から追いだされたのです、みんなの見ている前で。

ダンフォース　（びっくりして、アビゲイルの方をむき）どういうことだ？　お祈りの最中に笑うとは！

パリス　閣下、あの時はティテュバに影響されていたのです。今はまじめそのものです。

ジャイルズ　そいつが、今はまじめそのもので、人を絞首刑にしようってわけか！

ダンフォース　静かに。

ホーソーン　この際それは関係ありません。問題は、殺人を企てたかどうかですから。

ダンフォース　いかにも。（ちょっとの間、アビゲイルを眺める。それから）続けるがよい、プロクター。

プロクター　メアリ。さあ、お話し申しあげるんだ、おまえたちが森の中で踊ったときのこと。

パリス　（すぐに）閣下、わたしがセイラムに来たときから、この男はわたしのことを悪しざまに言っています。これは――

ダンフォース　まあ、待て。（メアリ・ウォレンに、きびしく、そして意外そうに）踊りとは何かね？

メアリ・ウォレン　あたし――（アビゲイルをちらっと見る。アビゲイルは憎々しげにメアリを見つめている。そこで、メアリはプロクターに懇願する）旦那さん――

プロクター　（すぐそれを受けて）アビゲイルは娘たちを森へ連れて行き、閣下、そこでみんなで裸になって踊ったのです――

パリス　閣下、それは――

プロクター　（ただちに）パリス牧師は自分でそれを見つけました、真夜中に！　これが「子供」のすることでしょうか！

ダンフォース　（悪夢をみている思いである。呆れたようにパリスの方をむき）パリス牧師――

パリス　これだけは申しあげられます、誰も裸になんかなっておりませんでした、この男は――

ダンフォース　だが、森の中で踊っているのは見たのだな？　（パリスを見すえ、アビゲイルを指さし）アビゲイルも？

ヘイル　閣下、わたしが初めてビヴァリーからついたとき、その話をパリス牧師から聞きました。

ダンフォース　否定するかね、パリス牧師？

パリス　いいえ。しかし、裸は見ておりません。
ダンフォース　だが、踊ってはいたのだな、アビゲイルも？
パリス　（しぶしぶと）はい、閣下。

ダンフォースは、まるで新しい目でみるように、アビゲイルを見つめる。

ホーソーン　閣下、よろしいでしょうか？（メアリ・ウォレンをさす）
ダンフォース　（非常に心配そうに）ああ、よろしい。
ホーソーン　悪霊を一度も見たことがないと言うのだな、悪魔の手先やそれらしいものに脅かされたり苦しめられたりしたこともないと。
メアリ・ウォレン　（消えいるような声で）はい。
ホーソーン　（してやったりというように）それなのに、魔法のかどで告発された者と法廷で対決したとき、気を失ったではないか、被告たちのからだから悪霊が乗り移って息ができないと——
メアリ・ウォレン　そんなふりをしただけです——
ダンフォース　聞こえない。

メアリ・ウォレン　ふりをしたのです。

パリス　しかし、からだが冷えきっていたではないか？　何度もおまえを抱き起こしたが、肌がまるで氷のようだった。閣下も――

ダンフォース　わたしも何度も見た。

プロクター　気絶したふりをしただけです。子供たちは真似がとても上手です。

ホーソーン　では、今ここで気絶の真似ができるかな？

プロクター　今？

パリス　そうとも！　この部屋には魔女として告発された者は誰もおらぬ。だから乗り移る悪霊はいない。だから、さあ、冷たくなってみせるがいい。悪魔に襲われて、気絶したふりをしてみよ。（メアリ・ウォレンの方をむき）気絶するんだ！

メアリ・ウォレン　気絶？

パリス　そう、気絶だ。法廷で何度もやって見せたことを、ここで証明するのだ。

メアリ・ウォレン　（プロクターを見て）気絶なんて――できません。

プロクター　（驚いて、静かに）真似するだけでいいのだ。

メアリ・ウォレン　でも――　（気絶するきっかけを探すかのようにあたりを見回す）やっぱり――そんな気持ちになれません、今は――

ダンフォース　なぜかね？　何がたりないのかね、今は？

メアリ・ウォレン　何か――わかりません、あたし――

ダンフォース　こういうことではないのかな、ここにはおまえを苦しめる悪霊はいない、が、法廷にはいた？

メアリ・ウォレン　悪霊なんて見たことありません。

パリス　それなら、悪霊を見ないで、思いのままに気絶できるところを見せるがいい、おまえが言うように。

メアリ・ウォレン　（じっと一点を見つめ、その気分をさがすが、やがて首をふり）あたし――できません。

パリス　それでは、告白するな？　おまえを気絶させたのは、悪霊の仕業だったと！

メアリ・ウォレン　いいえ、それは――

パリス　閣下、これは法廷をまどわそうとする企みです！

メアリ・ウォレン　企みなんかじゃありません！　（立ちあがる）前はよく――気絶したんだけど――悪霊を見たような気がして。

ダンフォース　見たような気がした！

メアリ・ウォレン　でも、本当は見えなかったんです、閣下。

ホーソーン　見えなかったら、見たと思うわけないではないか？

メアリ・ウォレン　あの――よく言えないんです、でも、そうだったんです。あたし――ほかの娘たちが金切り声をあげるのを聞きました、そして閣下は、みんなを信じておいでのようでした、あたしは――初めはほんのおもしろ半分でした、それなのに、世間が悪霊だ、悪霊だと叫びだし、あたし――約束します、ダンフォース様、あたしは見たと思っただけで、実際は見なかったのです。

ダンフォースはメアリ・ウォレンをじっと見る。

パリス　（微笑をうかべ、しかしダンフォースがメアリ・ウォレンの話に心を動かされたようなので、気にして）閣下、こんな他愛のない嘘にまどわされませんように。

ダンフォース　（当惑したようにアビゲイルの方をむき）アビゲイル。さあ、心して答えなさい――気をつけるのだぞ、神にとっては、全ての人の魂は貴く、いわれなく生命を奪う者に対する神の復讐はきびしい。アビゲイル、おまえが見た悪霊は単なる幻想にすぎないのではないか、ふとおまえの心をよぎった幻のような――

アビゲイル　まあ、ずいぶん――ずいぶん――つまらない質問ですこと、閣下。

ダンフォース　いや、おまえにもう一度考えてもらいたいのだ——

アビゲイル　わたしは傷つきどおしでした、ダンフォースさま、自分の血が流れるのも見ました！　毎日、殺されるのではないかという気がしました、義務に従って悪魔の仲間を指名したのに——その報いがこれですか？　疑われ、否認され、訊問される、まるで——

ダンフォース　（弱気になって）別に疑っているわけではない——

アビゲイル　（あからさまに脅かすような口調で）ご用心なさい、あなたも、ダンフォースさま！　自分は偉いから、悪魔の力など、とても及ばないとお考えなのですか？　ご用心！　ここには——（突然、詰問するような態度をやめ、顔をめぐらし、上空をじっと眺める——その顔は本当におびえきっている）

ダンフォース　（心配そうに）どうしたのだ？

アビゲイル　（空中を見回しながら、寒そうに、両腕で自分の体を抱きしめるようにして）わか——わかりません。風が、冷たい風が吹いてきました。（目をメアリ・ウォレンにおとす）

メアリ・ウォレン　（おびえて、嘆願する）アビー！

マーシイ・ルイス　（ぶるぶる震えながら）閣下、いまにも凍りそう！

プロクター　うそだ！

ホーソーン　（アビゲイルの手にさわり）冷たい、閣下、さわってごらんなさい！

マーシイ・ルイス　（歯をがちがちさせながら）メアリ、あんたがこの影を送ってくるの？

メアリ・ウォレン　神様、お助けください！

スザンナ・ウォルコット　凍りそう、凍りそう！

アビゲイル　（はっきりと体をぶるぶる震わせながら）風よ、風のせいだ！

メアリ・ウォレン　アビー、やめて！

ダンフォース　（彼自身、アビゲイルにひきつけられ、まきこまれ）メアリ・ウォレン、おまえが魔法を使っているのか？　おまえが悪霊を送っているのか？

ヒステリックな叫び声をあげてメアリ・ウォレンは駆けだそうとする。プロクターが彼女をつかまえる。

メアリ・ウォレン　（くずおれそうになりながら）行かせて、旦那さん、だめです、できません――

アビゲイル　（天にむかって叫ぶ）　おお、天にまします神よ、この影を取り除きたまえ！

何の前ぶれも、ためらいもなく、プロクターはアビゲイルに飛びかかり、髪をつかんで引き倒す。彼女は苦痛の悲鳴をあげる。ダンフォースはびっくりして、「何をする？」と叫ぶ。ホーソーンとパリスは、「手を放せ！」とどなり、そのなかから、プロクターのわめく声が聞こえる。

プロクター　よくも神様などと言えたものだ！　この売女！　淫売！

ヘリックがプロクターをアビゲイルから引きはなす。

ヘリック　ジョン！
ダンフォース　おい！　おまえは何という――
プロクター　（息を切らし、苦痛の色をこめて）　これは娼婦です！
ダンフォース　（口もきけないほどびっくりして）　おまえは告発――？

アビゲイル　ダンフォースさま、彼は嘘を言っているのです！

プロクター　見てるがいい！　いまに金切り声をあげて、くってかかってくるから――

ダンフォース　証拠をあげなさい！　聞き捨てならぬことだ！

プロクター　（震えながら――彼の人生のすべてが瓦解しようとしている）わたしはこの女と通じました、閣下、関係があったのです。

ダンフォース　おまえは――姦淫の罪を犯したのか？

フランシス　（びっくりして）ジョン、そんなこと、言うもんじゃない――

プロクター　ああ、フランシス、あんたのように汚れを知らぬ者には、わかるまいが！（ダンフォースに）人間は、みずから好んで名声を捨てたりはいたしません。これはおわかりですね。

ダンフォース　（唖然として）い――いつだ？　どこでだ？

プロクター　（彼の声は乱れ、恥じらいの気持ちが強まる）それにふさわしい場所――家畜小屋でございました。最後の快楽の夜から、八カ月ほどすぎました。この女は、わたしの家に奉公していたのでございます。（泣くのをこらえようとして、顎をぐっと引きしめなければならない）神様は眠っていると、人は思うかもしれないが、神様は何もかも見ておいでだ、今それがわかりました。お願いです、どうか――この娘が何であるか、お考えください。家内は、そのあとすぐ、この娘に暇をだし、パリス牧師のもとに送り返したのです。生まれつき虚栄心のかたまりのような娘で、それで――（感情がたかぶってくる）閣下、お許しください、お許しを。（自分自身が腹立たしくなったように、ちょっとのあいだ、副知事から顔をそむける。それから、大声をあげる以外には、話す手段が残っていないかの如く）この娘は、妻の墓の上で、わたしと踊ろうと考えているのです！　無理もありません、わたしが情けをかけたのですから。神よ、お助けください、つい欲望に負けて……そういう営みには約束があります。しかし、これは娼婦の復讐なのです、それをお見極めください。わたしのすべては、閣下のお手におまかせします。これでおわかりのことと思います。

ダンフォース　（恐怖に蒼ざめて、アビゲイルの方をむき）これに関し、いささかなりとも異議があるか？

アビゲイル　もし答えなければならないのなら、出ていって、二度ともどっては来ません！

ダンフォースは、どうしてよいか判らない様子である。

プロクター　わたしは自分の不名誉を鐘をならして告げ、その鐘の音と共に名声を葬ったのです！　信じてください、ダンフォースさま！　わたしの妻は無実です、娼婦の正体を見抜いたという以外には！

アビゲイル　（ダンフォースの方へ進み出て）何という顔をなさってるの？　（ダンフォースはものも言えない）そんな顔で見られたくありません！　（きびすを返して、ドアの方へ行こうとする）

ダンフォース　動くことはならぬ！　（ヘリックがアビゲイルの行く手をさえぎる。彼女はぱっと立ちどまる。目が火のように燃えている）パリス牧師、法廷へ行き、プロクターのかみさんを連れてきなさい。

パリス　（異議をとなえる）閣下、これはみんな――

ダンフォース　（鋭くパリスに）連れてくるのだ！　ここでのことは、一言なりとももらしてはならぬぞ。そして、ここに入る前にはノックをすること。（パリスは出て行く）さて、これで沼地の底にふれることができよう。（プロクターに）おまえの妻は正直な女だと言ったな。

プロクター　これまで一度も嘘を言ったことがございません。世の中には、歌えぬ者もいれば、泣くことのできぬ者もいますが――妻は嘘をつくことのできぬ人間です。

やっとそれが判りました。

ダンフォース　それでは、おまえの妻はこの娘を家から出すとき、娼婦と知って出したのだな？

プロクター　はい。

ダンフォース　娼婦と知っていたんだな？

プロクター　はい、娼婦と知っておりました。

ダンフォース　よろしい。（アビゲイルに）もしあれが、おまえのことを淫らな女だと答えたら、アビゲイル、おまえは神のお慈悲にすがるほかないな！（ノックの音。ダンフォースはドアに向かって叫ぶ）待て！（アビゲイルに）うしろを向け。うしろむきになるのだ。（プロクターに）おまえもだ。（二人はうしろを向く――アビゲイルは腹だたしげにゆっくりと）二人とも、プロクターのかみさんの方を見てはならぬぞ。この部屋の者は、一言たりとも話してはならぬ。また否か応かの身振りもしてはならぬ。（ドアの方をむき、呼ぶ）入れ！（ドアが開く。エリザベスがパリスと共に入ってくる。パリスはエリザベスのそばから離れる。彼女はひとりで立ち、目はプロクターの姿を探す）チーヴァ、この証言を正確に記録せよ。よいかな？

チーヴァ　よろしゅうございます。

ダンフォース　ここに来なさい。（エリザベスは、プロクターの背に目をやりながら、ダンフォースのところへ来る）こっちを見なさい、夫を見てはならぬ。わしの目だけを見るのだ。

エリザベス　（かすかに）わかりました。

ダンフォース　おまえがかつて、召使いのアビゲイル・ウィリアムズを解雇した由、聞きおよんでいる。

エリザベス　その通りでございます。

ダンフォース　解雇した理由は何か？（短い間。エリザベスはプロクターの方に目をやろうとする）わしの目だけを見るのだ、夫を見てはならぬ。答えはおまえの記憶の中にあるのだから、助けはいらぬはず。なぜアビゲイル・ウィリアムズを解雇したのか？

エリザベス　（何を言っていいか判らず、事態のただならぬことを感じ、舌の先で唇を濡らして時間をかせぐ）気に——入らなかったのです、わたしの。（間）それに主人も。

ダンフォース　どういう点がだね？

エリザベス　あの子は――（手がかりを求めて、プロクターに目をやる）

ダンフォース　これ、こっちを見るのだ！（エリザベスはそうする）だらしなかったのか？　怠けたのか？　どんな不都合があったのだ？

エリザベス　閣下、わたしは――そのとき病気でした。それに、わたしは――わたしの夫は善良な、立派な人間でございます。ほかの人たちのように酔っぱらったり、円盤突きのゲームをしたりしたこともなく、いつも仕事に精だしています。でも、わたしが病気でしたので――実は、閣下、末の子を生んでから、長いこと体の具合がよくなくて、なんだか夫がわたしから離れてゆくような気がしたのです。そこへこの娘が――（アビゲイルの方をむく）

ダンフォース　こっちを見るんだ。

エリザベス　はい、閣下。アビゲイル・ウィリアムズが――（中途でやめる）

ダンフォース　アビゲイル・ウィリアムズがどうしたのだ？

エリザベス　夫がアビゲイルに気があるのではないかと思うようになりました。そして、ある晩、分別を失い、彼女を追いだしたのです。

ダンフォース　おまえの夫は――本当におまえから離れてしまったのか？

エリザベス　（苦しそうに）夫は――立派な人間でございます。

ダンフォース　それでは、離れはしなかったのだな。

エリザベス　（プロクターをちらっと見ようとする）あの――

ダンフォース　（手を伸ばし、エリザベスの顔をおさえ、それから）こっちを見るのだ！　おまえの知っている限りでは、ジョン・プロクターは姦淫の罪を犯したことがあるか？　（決断がつかないままに、エリザベスはものが言えない）質問に答えなさい！　夫は姦淫の罪を犯したか？

エリザベス　（かすかに）いいえ。

ダンフォース　連れていけ、警察署長。

プロクター　エリザベス、本当のことを言え！

ダンフォース　もう言った。連れていけ！

プロクター　（叫ぶ）エリザベス、おれは告白したんだ！

エリザベス　まあ、そんな！　（彼女が出たあと、ドアがしまる）

プロクター　妻は、わたしの名を救おうと思っただけだ！

ヘイル　閣下、これは当然の嘘でしょう、どうか、これ以上有罪の判決を下さないうちに、おやめください！　もう、良心をとじているわけにはいきません――この証言には、個人的な復讐が働いています！　初めから、この男は正直だと感じておりました。神にかけて、わたしはこの男を信じます、どうか彼の妻を呼び戻してください、手おくれに——

ダンフォース　彼の妻は、姦淫については何も言わなかった、この男が嘘をついたのだ！

ヘイル　わたしはこの男を信じます。（アビゲイルを指さして）この娘は、はじめからうさんくさかった！　この娘は——

アビゲイルは、不気味な、荒々しい、ぞっとするような叫び声をあげると、天井に向かってわめきだす。

アビゲイル　だめ！　あっちへ行け！　行けったら！

ダンフォース　何だ、アビゲイル？（だがアビゲイルは、怖ろしそうに指さし、それから、おびえた目と、恐れおののいた顔を、天井へ向ける——娘たちも同じことをしている——すると今度はホーソーン、ヘイル、パトナム、チーヴァ、ヘリック、ダンフォースが同じことをする）何がいるのだ？（天井から目をおろし、ぎょっとする。彼の声には本当に緊張した響きがある）アビゲイル！（アビゲイルは呆然と立ちすくんでいる——ほかの娘たちと一緒に、彼女も、天井にむかってぽかんと大きく口をあけ、しくしく泣いている）娘たち！　なぜおまえらは——

マーシイ・ルイス　（指さしながら）梁の上よ！　たるきのうしろよ！

ダンフォース　（見あげて）どこだ？

アビゲイル　なぜ——？（息をのむ）なぜ来たの、黄色い鳥？

プロクター　どこにいる？　鳥なんか見えやせん！

アビゲイル　（天井にむかって）あたしの顔？　あたしの顔？

プロクター　ヘイル牧師——

ダンフォース　静かに！

プロクター　（ヘイルに）鳥が見えますか？

ダンフォース　静かに!!

アビゲイル　（天井にむかい、〈鳥〉と本当に会話しているように、〈鳥〉が襲ってくるのを説き伏せて思いとどまらせるかのように）でも、この顔は神様がおつくりになったのよ。あたしの顔を引き裂こうとなんかしないで。嫉妬は七つの大罪の一つよ、メアリ。

メアリ・ウォレン　（ぱっと立ちあがり、おびえて、懇願する）アビー！

アビゲイル　（とりあわず、〈鳥〉にむかって続ける）おお、メアリ、魔法で姿を変えたのね。いえ、だめ、あたしは黙るわけにはいかないわ、神様のお仕事をしているんですもの。

メアリ・ウォレン　アビー、あたしはここよ！

プロクター　（逆上して）あいつらは、ふざけているんです、ダンフォースさん！

アビゲイル　（今度は一歩さがり、まるで鳥が一瞬舞いおりて来たかのような恐怖にとらわれ）ああ、お願い、メアリ・ウォレン！　おりてこないで。

スザンナ・ウォルコット　爪よ、メアリ・ウォレンが鋭い爪を伸ばした！

プロクター　嘘だ、嘘だ。

アビゲイル　（さらに後ろにさがり、目は相変わらず上を見すえたまま）メアリ、あたしを傷つけないで！

メアリ・ウォレン　（ダンフォースに）あたし、傷つけようとなんかしていません！

ダンフォース　（メアリ・ウォレンに）なぜ、あんな幻を見るのだ、アビゲイルは？

メアリ・ウォレン　何にも見えやしないんです！

アビゲイル　（まるで催眠術にかけられたように、かっと正面を見すえて、メアリ・ウォレンの叫び声をそっくりまねて）何にも見えやしないんです！

メアリ・ウォレン　（懇願するように）アビー、やめて！

アビゲイルと他の娘たち　（憑かれたように立ちつくして）アビー、やめて！

メアリ・ウォレン　（娘たちみんなに）あたしはここよ、ここにいるのよ！

娘たち　あたしはここよ、ここにいるのよ！

ダンフォース　（ぞっとして）メアリ・ウォレン！　おまえの悪霊を引き揚げさせろ！

メアリ・ウォレン　ダンフォースさま！

娘たち　（さえぎるように）ダンフォースさま！

ダンフォース　おまえは悪魔と手を結んでいたのか？　そうなのか？

メアリ・ウォレン　いいえ、とんでもない！

娘たち　いいえ、とんでもない！

ダンフォース　（だんだんヒステリックになってくる）なぜ、みんなそろっておまえの口真似をするのか？

プロクター　鞭をください――やめさせてやる！

メアリ・ウォレン　みんな、ふざけているんです。ああして――！

娘たち　みんな、ふざけているんです！

メアリ・ウォレン　（ヒステリックに娘たちに食ってかかる。足をふみならして）アビー、やめなさい！

娘たち　（足をふみならして）アビー、やめなさい！

メアリ・ウォレン　やめて！

娘たち　やめて！

メアリ・ウォレン　（あらん限りの声をだして叫び、両方のこぶしを振りあげて）やめてったら!!

娘たち　（両手のこぶしを振りあげて）やめてったら!!

メアリ・ウォレンはすっかり混乱して、アビゲイルと——そして娘たちの——強い信念に圧倒され、手を半ば上げたまま、力なく、すすり泣きはじめる。娘たちもみんな、彼女とまったく同じように、すすり泣きはじめる。

ダンフォース　ついさっきは、おまえが悪霊に苦しめられた。今度はおまえが他の娘たちを苦しめているらしい。どこでそんな力を見つけたのか？

メアリ・ウォレン　（アビゲイルを見つめながら）あたしには——何の力もありません。

娘たち　あたしには、何の力もありません。

プロクター　みんなであなたを騙しているのです、閣下！

ダンフォース　なぜおまえは、この二週間のうちに転向したのだ？　悪魔に会った、そうだな？

ヘイル　（アビゲイルと娘たちを指さしながら）この子供たちを信用なさってはいけません！

メアリ・ウォレン　あたしは――

プロクター　（メアリが挫けそうになるのを感じて）メアリ、嘘をつくと、みんな神様の罪をうけるのだぞ！

ダンフォース　（とどめをさすように）おまえは悪魔に会い、悪魔と契約を結んだ、そうではないのか？

プロクター　嘘つきはみんな、神様の罪をうけるのだぞ！

メアリは何かわけの判らぬことを口ばしり、アビゲイルをじっと見つめる。

アビゲイルは、相変わらず、上方の〈鳥〉を見続けている。

ダンフォース　聞こえない。何と言ったのか？（メアリはまたわけの判らぬことを口ばしる）告白するか、それとも絞首刑になるか？（乱暴にメアリを自分の方にむかせる）わたしが誰か、わかっているのか？　つつまず話さないと、絞首刑にするぞ！

プロクター　メアリ、天使ラファエルを思いだすんだ——正しい事をするんだ——

アビゲイル　（上を指さし）翼が！　翼をひろげたわ！　メアリ、どうか、やめて——！

ヘイル　何にも見えません、閣下！

ダンフォース　この力は何か、告白せよ！（メアリ・ウォレンの顔のすぐ間近かに立つ）言え！

アビゲイル　おりてくるわ！　梁の上を歩いてる！

ダンフォース　言うんだ！

メアリ・ウォレン　（恐怖に目を見張り）言えません！

娘たち　言えません！

パリス　悪魔を放りだせ！　悪魔の顔をにらみつけよ！　悪魔をふみつぶせ！　しっかりするんだ、メアリ、われわれがおまえを救ってやる——

アビゲイル　（見上げて）ほら！　おりてくるわ！

アビゲイルと娘たちはみんな、目をおおいながら、一方の壁に走りよる。そして、まるで追いつめられたかのように、ものすごい悲鳴をあげる。するとメアリも、まるで感染したかのように、口をあけ、一緒に悲鳴をあげる。徐々にアビゲイルと娘たちは悲鳴をあげるのをやめ、メアリだけが残り、〈鳥〉を見上げながら、狂ったように悲鳴をあげつづける。一同は、この明らかな発作に呆然として、彼女を見守る。プロクターは大股で彼女のところへ行く。

プロクター　メアリ、副知事に申しあげるんだ、みんなが——（プロクターが話しかけようとするとすぐ、彼が自分の方へやってくるのを見て、メアリ・ウォレンは、プロクターの手のとどかないところへ逃げだし、恐怖の叫び声をあげる）

メアリ・ウォレン　あたしにさわらないで——さわらないで！　（これを聞くと、娘たちはドアのところに立ちどまる）

プロクター　（びっくりして）メアリ！

メアリ・ウォレン　（プロクターを指さし）あんたは悪魔の手下よ！

プロクターはその場に釘づけになる。

パリス　神をたたえよ！
娘たち　神をたたえよ！
プロクター　（呆然として）メアリ、なぜ——？
メアリ・ウォレン　あんたと一緒に絞首刑になるのはいや！　あたしは愛しているの、神様を！
ダンフォース　（メアリに）彼はおまえに、悪魔の仕事をやれと命じたのか？
メアリ・ウォレン　（ヒステリックに、プロクターを指さし）昼も夜も毎日やって来て、署名しろ、署名しろって——
ダンフォース　何に署名するのか？
パリス　悪魔の本か？　プロクターが本を持ってきたのか？
メアリ・ウォレン　（ヒステリックに、プロクターを指さし、こわそうに）あたしの名前よ、あたしの名前がほしかったのよ。「おまえを殺してやる、もし女房が絞首刑になるようなら！」と、こう言いました、「法廷に押しかけて引っくり返すんだ！」って。

ダンフォースは頭をさっとプロクターの方にむける。ダンフォースの顔には、驚きと恐怖の色がうかんでいる。

プロクター　（ヘイルの方をむき、訴える）ヘイル牧師！

メアリ・ウォレン　（すすり泣き始める）あの人は毎晩あたしを揺り起こしたんです、目がまっ赤でした、手をあたしの首にかけ……だから署名した、だから署名した……

ヘイル　閣下、この子は気が狂いました！

プロクター　（ダンフォースの大きく見開かれた目が自分にそそがれているので）メアリ！　メアリ！

メアリ・ウォレン　（プロクターにむかって叫ぶ）いや、あたしは神の味方！　あんたの仲間じゃない。神様を敬い、信じているの。（泣きじゃくりながら、アビゲイルに駆けよる）アビー、アビー、もう決してあなたを傷つけないわ！（一同が見守っているなかで、アビゲイルは無限の慈愛をこめて、手をさし伸べ、すすり泣くメアリをそばに引きよせ、それからダンフォースを見あげる)

ダンフォース　(プロクターに)おまえは何者だ？　(プロクターは怒りのあまり口がきけない)おまえはキリストの敵と手を結んだのだな？　おまえの力は今よく見せてもらった。よもやこれを否認はすまい！　どうだ？

ヘイル　閣下——

ダンフォース　きみからは何も聞く必要はない、ヘイル牧師！　(プロクターに)おまえは悪魔に汚されたことを告白するか、それとも、その黒い誓いを守り続けるつもりか？　どちらだ？

プロクター　(心は乱れ、息をきらして)ああ——ああ——神は死に給うた！

パリス　聞いたぞ、聞いたぞ！

プロクター　(狂ったように笑う、それから)火が、火が燃えている！　悪魔の足音が聞こえる、その汚らわしい顔が見える！　それは、おれの顔だ、そしてあんたのだ、ダンフォース！　みんなひるんでいるのだ、おれもそうだったが、あんたたちもそうだ、その邪悪な心の中で、これが欺瞞であると知りながら心ひるみ、人々を無知から救おうとはしない——だから神は特にこの町に罰を下された、そしておれたち

　は燃える、燃えるんだ、みんな一緒に！
ダンフォース　警察署長！　そいつとコーリィを牢にいれろ！
ヘイル　（ドアの方へ行きかけて）この訴訟手続きを認めません！
プロクター　おまえたちは神を引きずりおろして、娼婦をまつりあげようというのか！
ヘイル　わたしはこの裁判を弾劾する、この法廷から辞任する！　（出て行き、ぴしゃりとうしろ手にドアをしめる）
ダンフォース　（激怒してヘイルに呼びかける）ヘイル牧師！　ヘイル牧師！

——幕おりる——

第四幕

セイラムの牢獄の独房、その年の秋。

舞台奥に高い、格子のはいった窓。窓の近くに、大きな重い扉。両壁にそってベンチが二つ。

格子越しにさしこんでくる月光をのぞいては、舞台一面は闇。人気がないようにみえる。

やがて、壁の向こうの廊下を歩いてくる足音が聞こえる。鍵の音。ドアがぱっと開く。警察署長のヘリックがランタンを手にして登場。

彼はだいぶ酔っぱらっているらしく、動作が鈍い。ベンチのところに行き、その上に横たわっているぼろのかたまりをそっと小突く。

ヘリック　サラ、起きろ！　サラ・グッド！　（それから、別なベンチの方へ行く）

サラ・グッド　（ぼろの中で起きあがり）ああ、悪魔の王様だ！　ただ今、ただ今！

ティテュバ、おいでになったよ、魔王さまのお出ましだ！

ヘリック　北側の房に移るんだ。ここはこれから使うんだ。（ランタンを壁にかける。

ティテュバ　ティテュバが起き直る）

ティテュバ　とても魔王さまにはみえねえな、警察署長にそっくりだ。

ヘリック　（酒瓶をとりだして）さっさと行くんだ、ここをあけろ。（飲む。サラ・グッドがやって来て、彼の顔を下からのぞきこむ）

サラ・グッド　なんだ、おまえさんかい、署長！　あたしゃてっきり悪魔さまがお迎えにきてくれたかと思ったよ。行く前に、りんご酒をちょっぴりくれんかね？

ヘリック　（酒瓶を渡して）おまえはどこへ行くつもりだ、サラ？

ティテュバ　（サラが飲んでいるので）一緒にバルバドスに行くんだよ、もうすぐ悪魔さまが羽根と翼を持ってきてくれるだ。

ヘリック　ほう？　いい旅をしな。

サラ・グッド　二羽の青い鳥が南をさして飛んでゆく、それがおいらさ！　てえした変わりようだろう、署長！　（酒瓶をかたむけて、また飲む）

ヘリック　（酒瓶をサラの口もとから取りあげて）こっちへ寄こしな、さもないと、地面から飛びたてなくなるぜ。さあ、行くんだ。

ティテュバ　おまえさんも一緒に行きたきゃ、頼んでやってもいいぜ、署長さん。

ヘリック　悪かねえな、ティテュバ。地獄に飛んでいくにゃ、おあつらえむきの朝だ。

ティテュバ　あれ、バルバドスには地獄はねえよ。バルバドスじゃ悪魔さまは陽気なお方で、歌ったり踊ったりしなさるだ。いけねえのはおまえさんたちだ――みんなで悪魔さまを怒らせる。冷たすぎるよ、あのお方に。マサチューセッツじゃ悪魔さまの心も凍って開かねえが、バルバドスじゃ、とってもやさしくて、まるで――（牝牛のモーと鳴く声が聞こえる。ティテュバはとび上がって、窓にむかって叫ぶ）はい、旦那！　悪魔さまだよ、サラ！

サラ・グッド　ここですよ、魔王さま！（二人は急いでぼろを拾いあげる。牢番のホプキンズが入ってくる）

ホプキンズ　副知事閣下のおつきだ。

ヘリック　（ティテュバをつかみ）行った、行った。

ティテュバ　（ヘリックに抵抗して）いや、お迎えが来ただ。おらぁ、家へ帰るだ！

ヘリック　（ティテュバを扉の方へ引きずって行きながら）ありゃ悪魔じゃねえよ、たっぷり乳がたまった牝牛さ。行くんだ、さっさと！

ティテュバ　（窓にむかって叫ぶ）おらを連れて帰ってくれ、悪魔さま、故郷(ふるさと)へ！

サラ・グッド　（叫びながら出て行くティテュバのあとを追う）おらも行くと言ってくれ、ティテュバ！　サラ・グッドも行きますって！

そとの廊下ではティテュバが叫び続ける――「おらを連れて帰ってくれ、悪魔さま、故郷へ！」そしてホプキンズの声が彼女を追いたてる。ヘリックが戻ってきて、ぼろとわらを片隅へ押しやり始める。足音を聞き、彼はふり返る。ダンフォースとホーソーン判事が登場。二人はきびしい寒さにそなえ、厚地の外套を着て、帽子をかぶっている。二人のあとには、公文書送達箱と、自分の筆記道具をいれた木の平たい箱をもったチーヴァがしたがう。

ヘリック　おはようございます、閣下。

ダンフォース　パリス牧師はどこか？

ヘリック　お連れしてきましょう。（扉の方へ行きかける）

ダンフォース　警察署長。（ヘリックは立ちどまる）ヘイル牧師はいつ到着した？

ヘリック　真夜中近かったと思います。

ダンフォース　（疑るように）ここで何をしているのか？
ヘリック　絞首刑になる連中のなかに入り、一緒にお祈りしています。今はナースのおかみさんのところにいます。パリス牧師も一緒です。
ダンフォース　そうか。あの男にはここへ入る権限がないのだ。なぜ入れた？
ヘリック　でも、パリス牧師のご命令です。拒むわけにはいきません。
ダンフォース　酔っているのか、警察署長？
ヘリック　いいえ、閣下。ひどく冷える夜です。ここには火の気がないものですから。
ダンフォース　（怒りを抑えて）パリス牧師を連れてまいれ。
ヘリック　はい、閣下。
ダンフォース　ひどい悪臭だな、ここは。
ヘリック　閣下のおいでと聞いて、いま囚人を追いだしたところなので。
ダンフォース　酒を慎め、署長。
ヘリック　はい、閣下。（まだ命令があるかと思って、ちょっと待つ。しかしダンフォースが不興げに背をむけるので、ヘリックは出てゆく。間がある。ダンフォースは考えにふけりながら立つ）
ホーソーン　ヘイル牧師を訊問なさったら、閣下。彼がこの頃アンドーヴァで説教をしているのも、驚くにはあたりませんね。

ダンフォース　いずれわかるだろう、アンドーヴァのことは何も言うな。パリスがヘイルと一緒に祈っているとは、おかしいな。（両手に息を吹きかけて、窓の方へ行き、そとを見る）

ホーソーン　閣下、パリス牧師をいつも囚人と一緒にしておくのは、考えものだと思います。（ダンフォースは、関心を示し、ホーソーンの方へむきなおる）このところ、時おり、あの男は気が狂ったのではないかと思うことがあります。

ダンフォース　気が狂った？

ホーソーン　きのう家から出てくるところを見かけ、おはようと声をかけたのですが——泣きながら行ってしまいました。あんな挙動が村人の目にふれるのは、よくないと思います。

ダンフォース　何か悲しいことがあるのだろう。

チーヴァ　（寒さをこらえて足踏みしながら）牝牛のことだと悪います。閣下。

ダンフォース　牝牛？

チーヴァ　たくさんの牝牛が通りをさまよい歩いています、主人たちが牢屋にいれられたので。そして、その牝牛が誰のものかということで、いさかいが起きています、パリス牧師は、きのうは一日じゅう、農民たちと話し合っていました——牝牛のことで、大論争が起こっているのです。論争があの方を泣かしたのです。論争で泣くのは、いつも男でございます。（誰かが廊下をやって来るのを耳にし、チーヴァはふり返る。ダンフォースもホーソーンもそうする。ダンフォースが顔をあげたとき、パリスが入ってくる。パリスはやつれ、おびえ、厚地の外套を着て、下で汗をかいている）

パリス　（ダンフォースに、すぐに）ああ、おはようございます、閣下、ようこそ。こんな早く、申しわけございません。おはよう、ホーソーン判事。

ダンフォース　ヘイル牧師はここに入る権利がない——

パリス　閣下、ちょっと。（急いでもどり、扉をしめる）

ホーソーン　ヘイル牧師をひとり囚人の中においてきたのか？

ダンフォース　彼は何の用で来たのか？

パリス　（祈るように両手をあげて）閣下、お聞きください、神の摂理です。ヘイル牧師は、レベッカ・ナースを神のもとへかえすために、戻ってきたのです。

ダンフォース　（おどろいて）告白させようとしているのか？

パリス　まあ、お聞きください。レベッカは入獄以来三カ月、わたしには一言も口をききません。ところが、ヘイル牧師とは話すのです、レベッカの妹も、マーサ・コーリイも、そのほか二、三の者もそうです。ヘイルは今みんなに、罪を告白して命が助かるようにしなさいと言っています。

ダンフォース　ほう――これはまさしく神の摂理だ。で、みんなはその気になったのか？

パリス　いいえ、まだです。しかし、閣下にはおいでいただこうと思いました、それが賢明かどうか、考えあぐねまして、つまり――（なかなか言いだせない）おききしたいと思ったのです、閣下、どうか、その――

ダンフォース　パリス牧師、はっきり言いなさい、どうしたというのだ？

パリス　知らせがあったのでございます、法廷が――法廷が考慮にいれなければならない知らせが。わたしの、わたしの姪が――どうも、姿を消したらしいのです。

ダンフォース　姿を消した？

パリス　もっと早くお耳にいれようとは思ったのですが――

ダンフォース　なぜだ？　いつからだ？

パリス　きょうで三晩でございます。はじめは、マーシイ・ルイスのところで一晩泊まってくると出かけました。だが、あくる日になっても帰りません、ルイスの家にききにやると、マーシイも、わたしの家に泊まるといって出たままなのだそうです。

ダンフォース　二人でいなくなったというのか?!

パリス　（ダンフォースの前でびくびくして）さようでございます、閣下。

ダンフォース　（愕然として）捜査隊をだそう。二人がいそうなところはどこか？

パリス　閣下、船に乗ったのではないかと思います。（ダンフォースは、あっけにとられて、立っている）わたしの娘が申すには、あの二人は先週、船のことを話していたそうでございます。それに今夜になって、わたしの――わたしの金庫があらされているのに気がつきました。（手で目をおさえ、涙をこらえる）

ホーソーン　（おどろいて）おまえの金を盗んだのか？

パリス　三十一ポンドなくなっています。わたしはこれで一文なしです。（顔をおおって、泣きじゃくる）

ダンフォース　パリス牧師、愚かな奴だな、おまえは！

パリス　閣下、わたしをお責めになっても何にもなりません。二人は、これ以上セイラムにいては危ないと思ったから、逃げたに違いありません。（懇願する）いいですか、アビゲイルは町の動きをよく知っていました、だから、アンドーヴァのことがここに伝わってきたので――

ダンフォース　アンドーヴァは治安が回復した。法廷は金曜日にあそこにもどり、審問を再開する。

パリス　確かにそうでございましょう。しかし噂によると、アンドーヴァでは暴動が起こり、それが——

ダンフォース　アンドーヴァには暴動などない！

パリス　ただ噂をお伝えしているのです。アンドーヴァでは法廷を追いだし、魔女裁判はやめたとか。当地にも、それをよしとする一味がおります、実はわたしは、セイラムにも暴動が起こりはしないかと、心配なのです。

ホーソーン　暴動！　とんでもない、この町では、処刑はすべて高い満足をもってむかえられた。

パリス　ホーソーン判事——今まで絞首刑になったのは、特殊な連中です。レベッカ・ナースは、結婚前に三年もビショップと同棲していたブリジェットとは違います。ジョン・プロクターは、飲んだくれて家庭をめちゃめちゃにしたアイザック・ウォードとは違います。（ダンフォースへ）そうならぬことを願っていますが、閣下、レベッカやプロクターは、町ではまだ大きな影響をもっています。レベッカが絞首台に立ち、敬虔な祈りでも捧げたら、閣下に対する復讐の動きが出てくるのではないかと恐れます。

ホーソーン　閣下、レベッカは魔女の判決を下されています、法廷は――

ダンフォース　（深い関心をもち、ホーソーンを手をあげて制する）待ちなさい。（パリスに）では、どうしろというのだね？

パリス　閣下、きょうの処刑をしばらく延期してはいかがでしょう。

ダンフォース　延期は許されぬ。

パリス　ヘイル牧師が戻ってきましたから、望みはあると思います――もしヘイル牧師が誰か一人でも神のもとへ引きもどせたら、その告白は万人の目にもみんなが有罪であることを決定づけます。そうすれば、連中が悪魔と手を結んでいたことについて、もはや疑う者は誰もいないでしょう。このまま彼らが告白もせず、無実を主張したら、疑惑は増し、多くの正直な人間が彼らの死を悼み、その涙でわれわれの崇高な目的も失われてしまうでしょう。

ダンフォース　（ちょっと考えてから、チーヴァのところへ行き）リストを見せなさい。

チーヴァは公文書送達箱をあけ、探す。

パリス　わたしがジョン・プロクターの破門を宣告するため信徒を呼び集めたとき、わずか三十人たらずしかこなかったことを忘れてはなりません。これは不満をもの語っています、ですから――

ダンフォース　（リストを調べながら）延期は許されない。

パリス　閣下――

ダンフォース　パリス牧師――きみの意見では、この中で誰が神のもとに戻れそうかね？　わしが自分で日の出まで、その者を説得してみよう。（リストをパリスに渡す。パリスはそれに、ちらっと目をやるだけである）

パリス　日の出まで、あまり時間はありません。

ダンフォース　最善をつくそう。誰が見込みありそうかね？

パリス　（リストを見ようともせず、震え声で、静かに）閣下――短刀が――（言葉をのむ）

ダンフォース　何のことだ？

パリス　今夜、家を出ようとドアをあけると――ぱたりと短刀が地面に落ちました。（沈黙。ダンフォースは考えこむ。パリスは叫ぶ）あの連中を絞首刑にしてはいけません。わたしの身が危なくなる。夜は外に出られなくなる！

ヘイル牧師が登場。みんなは一瞬、沈黙したまま、彼を見つめる。ヘイルは悲しみに沈み、疲れきってはいるが、前よりも決然としている。

ダンフォース　おめでとう、ヘイル牧師。きみが正しい仕事に戻ったのを見て、喜びにたえない。

ヘイル　（ダンフォースのところへ来て）彼らをお許しにならなければいけません。あの人たちは心をひるがえすことはないでしょう。

ヘリックが登場、待機する。

ダンフォース　（なだめるように）思い違いをしておいでだ、すでに十二名の者が同じ罪で絞首刑になったというのに、残りの者を許すことはできない。公平を欠く。

パリス　（がっかりして）レベッカは告白しないでしょうか？

ヘイル　太陽はまもなく昇ります。閣下、もう少しご猶予を。

ダンフォース　皆の者も聞くがよい、そしてこれ以上まどわされることがないように。

わたしは、赦免や延期の申し立てを、いっさい受けつけない。告白しようとしない者は、絞首刑だ。すでに十二人が処刑された。残り七人の名前も発表され、今朝刑がおこなわれることになっている。この期に及んで延期すれば、当方の遅疑逡巡と取られかねない。刑の執行延期や赦免は、今までに死んだ者たちの罪に対し疑惑を投げかけるに違いない。神の法律をおこなう限り、泣きつかれたからといって、神の御声をまげるわけにはいかない。もし報復を恐れるのなら、次のことを知るがよい――あえて法律にそむき謀反を起こす者は、一万人といえど、絞首刑に処す、塩からい涙が大海となっても、法の決定は変えられぬ。さあ、男らしく胸を張って、わたしを助けよ、それが諸君の神に対する義務である。ヘイル牧師、七人みんなと話したのか？

ヘイル　プロクター以外は全部。あの男は地下牢に入っています。

ダンフォース　（ヘリックに）プロクターはどうしている？

ヘリック　大きな鳥かなんぞのようにじっと坐っています。時おり食べ物をとるだけで、とてもこの世に生きている者とは思えません。

ダンフォース　（ちょっと考えたのち）妻は――妻の方は、おなかの子も順調なのだな。

ヘリック　はい、閣下。

ダンフォース　どう思う、パリス牧師？　きみはあの男のことをよく知っている。女房に会わせれば、気持ちもやわらぐかな？

パリス　多分。ここ三カ月も妻を見ておりません。エリザベスを呼ぶのがいいと存じます。

ダンフォース　（ヘリックに）プロクターは、相変わらず頑固か？　またおまえに打ちかかったりしたか？

ヘリック　それはできません、鎖で壁につながれていますから。

ダンフォース　（しばし考えてから）プロクターのおかみを連れてまいれ、それにプロクターも。

ヘリック　はい、閣下。（去る。沈黙）

ヘイル　閣下、もし一週間延期して、閣下が告白を得ようと努力しておられると公表すれば、それは閣下のお慈悲であって、ためらいとは取られますまい。

ダンフォース　ヘイル牧師、神はわたしに、ヨシュアとは違い、この太陽が昇るのをとめる力を授けてはくださらなかった。[訳註14]だから、刑の執行をやめるわけにはいかない。

ヘイル　（前よりもきびしく）ダンフォース閣下、もし反乱を起こさせようというのが神の思し召しだとお考えなら、とんでもない間違いです！

ダンフォース　（切り返す）この町に反乱の噂があるのか？

ヘイル　閣下、みなし子は家から家へとさまよい、飼い主のない牛は通りを鳴きながら歩き回っています。腐った穀物の悪臭が到る所にただよい、人々は、娼婦の叫び声でいつ自分の生命が絶たれるか、生きた心地もありません——これでも反乱はないとお考えですか？　この州が、よくぞ焼打ちにもあわずすんでいると思った方がよろしい！

ダンフォース　ヘイル牧師、きみは今月もアンドーヴァで説教をしたか？

ヘイル　さいわい、あの町の人たちはわたしを必要としない。

ダンフォース　わからないな。なぜここへ戻ってきたのかね？

ヘイル　ああ、それは簡単です。悪魔の仕事をしに来ました。キリスト教徒に、キリスト教徒らしからぬ振舞いをせよと、忠告しに来ました。（彼の皮肉は続かない）わたしの頭には罪の血がついている！　この血が見えないのか!!

パリス　しっ！　（足音を聞きつけたからである。一同は扉の方をむく。ヘリックがエリザベスと共に入ってくる。彼女の手首は重い鎖でつながれており、ヘリックがそれをはずす。服は汚れており、顔は蒼ざめ、やつれている。ヘリックは出ていく）

ダンフォース　（非常にていねいに）プロクターのおかみさん。（エリザベスは黙っている）達者かな？

エリザベス　（あらかじめ思いださせようと）出産まで、まだ六カ月あります。

ダンフォース　安心するがよい、今いのちを貰おうというのではない。われわれは――（慣れないので、どう頼んでいいか、よくわからない）ヘイル牧師、あんたが話してくれんか？

ヘイル　おかみさん、あなたのご主人は、けさ処刑されることになっています。

間。

エリザベス　（静かに）聞きました。

ヘイル　ご存知かもしれませんが、わたしは法廷とは何の関係もありません。（エリザベスは信じかねる様子）わたしは自分の考えで来たのです。わたしはあなたのご主人のいのちを救いたい。もしこのまま死刑になるようなら、わたしもその死に一役かったような気がするのです。この気持ち、わかりますか？

エリザベス　わたしに何をお望みなの？

ヘイル　おかみさん、わたしはこの三カ月、わが主イエス・キリストのように、荒野をさまよい、キリスト者としての道を探しもとめました。嘘をつくことを人にすすめれば、牧師は二重に神の罰をうけるのですから。

ホーソーン　これは嘘などではない、絶対に。

ヘイル　嘘です！　彼らは無実です！

ダンフォース　もう聞きたくない！

ヘイル　（エリザベスに続ける）あなたは、わたしのように、自分の義務を間違えてはいけない。わたしは、愛する者を訪れる花婿のような気持ちで、高邁な宗教という贈り物を持って、この町へ来ました。神の掟という花冠を持ってきました。だが、わたしが明るい自信をもって触れたものは、死にました。わたしが大きな信仰の目を向けた所からは、血がふき出しました。気をつけなさい、おかみさん――信仰が血をもたらす時は、信仰を守る必要はありません。人に犠牲をもとめるのは、間違った掟です。生命――いのちこそが、神の最も貴い贈り物だ。どんな教えでも、それがどんなに立派な教えにせよ、生命を奪ってよいはずはありません。どうか、プロクターに告白するよう、説きふせてください。嘘を言わせなさい。それによって、神の裁きの前でひるむことはありません。誇りのためにみずからいのちを捨てる者よりは、嘘をつく者の方が、神のお咎めは少ないでしょうから。頼んでみてくれますね？　ほかの者では耳をかさないでしょうから。

エリザベス　（静かに）まるで悪魔の言いそうなことね。

ヘイル　（必死に説得しようと試みる）神の掟の前では、われわれは豚と同じです。神の意志を読むことはできません！

エリザベス　あなたとは言い合いはできません。それだけの学問がないから。

ダンフォース　（エリザベスのところへ行き）プロクターのおかみさん、おまえは言い合いをするためにここに呼ばれたのではない。その心の中には、妻らしいやさしさはないのか？　夫は、日の出と共に死ぬのだぞ。わかっているのか？　（エリザベスはダンフォースをただ見つめているだけである）どうだ？　説得する気はないのか？　（彼女は黙っている）おまえは石か？　いいか、おまえが天を恐れざる所業をしている証拠がほかになくとも、今その涙をみせぬ目だけで、魂を悪魔に売った証拠としては充分だ！　猿でさえもこのような不幸にあえば、涙を流すだろう！　悪魔が憐れみの涙を干上がらせたのか？　（彼女は黙っている）連れて行け。話をさせても無駄だ！

エリザベス　（静かに）夫と話させてください、閣下。

パリス　（望みを抱いて）やってみてくれるか？　（エリザベスはためらう）

ダンフォース　告白するように言うのか、言わないのか？

エリザベス　何もお約束はしません。ただ、話させてください。

音――石の上を足をひきずって歩く、こするような音。一同はふりむく。間。ヘリックがジョン・プロクターを連れて登場。プロクターの手くびには鎖がかけられている。彼はまるで別人のようだ。ひげは伸び放題、むさくるしく、目は、まるでくもの巣が張ったように、かすんでいる。プロクターは戸口を入ったところで立ちどまる。目がエリザベスの視線をとらえる。二人のあいだに激しい感情が流れ、一瞬、誰も口をきくことができない。やがてヘイルが、感動の色をありありとうかべて、ダンフォースのところへ行き、静かに言う。

ヘイル　どうか、閣下、二人だけにしてやってください。

ダンフォース　（いらいらとヘイルを押しのけて）プロクター、通告は受けたであろうな、え？（プロクターは黙ったまま、エリザベスを見つめている）空は白みはじめている。おかみさんとよく話し合うことだ。神のご加護によって、悪魔と手を切

るんだな。（プロクターは黙って、エリザベスを見つめている）

ヘイル　（静かに）閣下、どうか——

ダンフォースは、ヘイルのそばをかすめるようにして、出ていく。ヘイルがつづく、チーヴァが立ち上がりあとに従い、そのうしろからホーソーンが続く。ヘリックも去る。パリスは安全な距離から声をかける。

パリス　プロクターさん、もしりんご酒がお望みなら、わたしが——（プロクターが冷やかな視線をパリスにむけたので、パリスは言葉をきる。パリスはプロクターの方へ両方の手のひらをあげる）神の導きがありますように。（パリスは去る）

二人だけ。プロクターはエリザベスの方へ歩いて行き、立ちどまる。二人はまるで目くるめく世界に立っているかのようである。それはもはや、悲しみを遙かに越えた感情である。プロクターは、あたかもこの世ならぬものに対するかのように、片手をさし伸べる。彼女にふれると、奇妙なやさしい声が、笑いと驚きが半ばずつ入りまじった声が、プロクターの咽喉からもれる。彼はエリザベスの片方の手を軽くたたく。彼女は彼の手を自分の手でおおう。それから、プロクターは力なく坐る。つづいてエリザベスも、彼と向かい合って、坐る。

プロクター　赤ん坊は？

エリザベス　順調よ。

プロクター　子供たちは、どうしているのかな？

エリザベス　元気ですって。レベッカのとこのサミュエルが面倒をみてくれています。

プロクター　おまえも会っていないのか？

エリザベス　会っていません。（ふと気がくじけそうになるのを感じ、それを振り払う）

プロクター　えらいな――おまえは、エリザベス。

エリザベス　拷問に――かけられたのね？

プロクター　うん。（間。エリザベスは自分を脅かす感情の海に溺れるようなことはないであろう）いよいよこれでお別れだ。

エリザベス　知っています。

間。

プロクター　誰も――まだ告白していないのか？

エリザベス　たくさんの人が、告白しました。

プロクター　誰々だ？

エリザベス　百人以上、だそうです。バラードのおかみさんもそう。イザヤ・グッドカインドもそう。たくさんいるんです。

プロクター　レベッカは？

エリザベス　レベッカは違います。あの人はもう片足を天国に入れています。彼女を傷つけるものは、もはや何もありません。

プロクター　ジャイルズは？

エリザベス　お聞きになっていないの？

プロクター　何にも聞いていない、つかまってから。

エリザベス　ジャイルズは死にました。

プロクターは信じられないようにエリザベスを見る。

プロクター　いつ絞首刑になったのだ？

エリザベス　（静かに、淡々と）絞首刑ではありません。起訴状に対して、はいともいいえとも答えなかったのです。罪状を否認すれば、必ず絞首刑になり、財産は競売にだされます。それで黙秘したまま、法律によりキリスト教徒として死にました。だから、息子さんたちは農場を相続できるでしょう。それが法律なのです。起訴状に対して、はいともいいえとも答えなければ、魔法使いという刑の宣告をうけずにすみますもの。

プロクター　で、どうして死んだのだ？

エリザベス　（ゆっくり）圧死です、ジョン。

プロクター　圧死？

エリザベス　大きな石がつぎつぎに胸の上にのせられたのです、はいか、いいえを言わせようと。（ジャイルズ老人を偲んで、やさしい微笑をうかべ）一言だけいったそうです。「もっと重く」と。そして死にました。

プロクター　（慄然とする――彼の苦悩の中を一筋の糸がつらぬく）「もっと重く」か。

エリザベス　ええ。大した人でした、ジャイルズ・コーリイは。

間。

プロクター　（ついに意を決したかのように、だが、エリザベスをまともに見ようとはせず）わたしは、いっそ告白しようかと思うんだ、エリザベス。（エリザベスは何の反応も示さない）どうだね？　もし告白したら？

エリザベス　わたしには判断できません、ジョン。

間。

プロクター　（率直に――純粋な質問）おまえはおれにどうしてほしいのかね？

エリザベス　なさりたいように、それであたしはいいのです。（短い間）生きていてほしいわ、ジョン。それは確かよ。

プロクター　（間。それから、希望を求めて揺れ動きながら）ジャイルズのおかみさんは？　告白したか？

エリザベス　しないでしょうね。

間。

プロクター　虚勢を張っているんだ、エリザベス。

エリザベス　何が？

プロクター　おれは聖者のように絞首台にのぼることはできない。それは欺瞞だ。おれはそんな立派な男ではない。（エリザベスは黙っている）おれはもはや誠実な、ほめられるような男ではない。とっくに堕落しているのだ、今さら嘘を言ったところで、何が汚れるというのだ。

エリザベス　でも、今まで告白しないできた。それが、あなたの立派さの証です。

プロクター　腹いせに黙っているだけだ。犬どもに嘘を告白するのは、つらいことさ。（間。はじめてエリザベスの方にまっすぐ向き直る）許してもらいたい、エリザベス。

エリザベス　許してだなんて、とんでもない、ジョン、わたしは——

プロクター　このなかに少しでも正直さを認めてもらいたい。これまで一度も嘘をついたことのない人間なら、自分の魂を守るために潔く死ぬのもよかろう。だが、おれにとっては虚勢なのだ。神様の目をくらますこともできない、子供たちを風から守ることもできない、虚栄心にすぎないのだ。（間）どうだね？

エリザベス　（今にも泣きだしそうになるのを懸命にこらえて）ジョン、わたしがあなたを許しても何にもなりません、あなた自身が自分を許すのでなければ。（プロクターは、非常に苦悩して、顔を少しそむける）問題はわたしの魂ではありません、ジョン、あなたの魂なのよ。（プロクターは、自分の答えを見出したいという大きな永遠の願いをこめてゆっくりと立ちあがり、肉体の苦痛を感じるかのように、立っている。だが、言うのはむずかしい。エリザベスは今にも泣きだしそうである）ただ、これだけは確かです、わたしには今わかりました、あなたが何をしようと、それは立派な人間のすることなのです。（プロクターは、疑ぐるような、探るような凝視をエリザベスにむける）わたしはこの三カ月、胸に手をあてて考えてみました。（間）わたしにもいろいろ罪はあったのです。男を姦淫の罪にかりたてるのは、妻が冷たいからなのです。

プロクター　（激しい苦痛を感じて）もういい、もういい――

エリザベス　（心の思いを吐露して）わたしという人間を知ってほしいの！

プロクター　聞かんでもいい！　おまえのことは判っている！

エリザベス　あなたはわたしの罪まできているのよ、ジョン——

プロクター　（苦痛のなかで）いいや、おれの罪だけだ、おれ自身の！

エリザベス　ジョン、わたしは自分を地味で、病弱な女だと思っていました、真実の愛など訪れることはないと！　わたしが接吻したとき、それは疑惑が接吻していたのです。愛情を口にするすべも知りませんでした。それが家庭を冷たいものにしたのです！　（はっとして、顔をそむける。ホーソーンが入ってくる）

ホーソーン　どうだな、プロクター？　太陽は間もなく昇るぞ。

プロクターは、荒い息づかいで目をすえ、エリザベスの方をむく。エリザベスは訴えるかのように彼の方へ寄る。彼女の声は震えている。

エリザベス　したいようにして。でも、誰にもあなたを裁かせてはいけない。この世には、プロクターよりも偉い判事はいないのよ！　許して、わたしを許して、ジョン——あなたは本当に優しい、いい人だった！　（顔をおおって、泣く）

　プロクターはホーソーンの方へ向き直る。茫然と立ち、声はうつろである。

プロクター　わたしは生きたい。

ホーソーン　（びっくりして、意外そうに）告白するのか？

プロクター　生きていたい。

ホーソーン　（神がかった声で）ありがたい！　神の摂理だ！　（戸口から駆け去る。彼が廊下で叫んでいる声が聞こえる）告白する！　プロクターが告白します！

プロクター　（大股で扉の方へ行き、叫ぶ）なぜそんな大声でわめくんだ？　（非常につらそうにエリザベスのところへ戻ってくる）悪いことだよ、悪いことだ。

エリザベス　（びっくりして、泣きながら）わたしにはできない、あなたを裁くことは、ジョン、できないわ！

プロクター　それでは、誰がおれを裁くのだ？　（突然両手の指を組み合わせ）天にまします神よ、ジョン・プロクターとは何でしょう、何なのでしょう？　（動物のように動き回る。激しい怒りが彼の中につのってくる。求めながらも、それに手が届かない焦燥感）これが正直というものだ、おれはそう思う。わたしは聖者ではない。（あたかもエリザベスがこれを否定でもしたかのように、腹だたしげに彼女をどなる）レベッカは聖人のように進むがいい、おれには欺瞞でしかない！

　廊下に人々の声が聞こえる、昂奮を抑えてしゃべり合っている。

エリザベス　わたしには判断がつかない、裁くことはできない。（プロクターの気持ちをやわらげるかのように）したいようにして、あなたのしたいように！

プロクター　おまえならこんな嘘をつくか？　言ってくれ。おまえは告白するか？（エリザベスは答えられない）しないだろうな。たとえ焼火箸をあてられても、告白しないだろうな！　悪いことだ。しかし、それでもよろしい——悪いことだが、わたしはする！

　ホーソーンがダンフォースと共に入ってくる。彼らと一緒に、チーヴァとパリスとヘイルも登場。まるで氷が破れて道ができたかのように、てきぱきとした速い登場である。

ダンフォース　（深い安堵と感謝をこめて）よくやった、プロクター。これで、天国で祝福がうけられるぞ。（チーヴァはペンとインクと紙を持って、急いでベンチのところへ行っている。プロクターはチーヴァを見守る）さあ、では、始めよう。いいか、チーヴァ？

プロクター　（彼らの手回しのよさに冷たい、冷たい恐怖をいだき）なぜ記録をとらなければならないのか？

ダンフォース　いや、町の人たちにちゃんと知らせるためだ。これを教会の戸口にはるのだ！（パリスに、せき立てて）警察署長はどこにいる？

パリス　（扉のところへ戻って行き、廊下にむかって叫ぶ）署長！　早く！

ダンフォース　ではと、プロクター、ゆっくりと、要領よくはっきり話してくれんか、チーヴァのために。（録取はすでに始まっており、ダンフォースは現にチーヴァに口述し、チーヴァは書いている）プロクター、おまえはこれまで悪魔に会ったことがあるか？　（プロクターは固く口をとざしている）さあ、空が明るくなってきたぞ。みんなが絞首台で待っている。この知らせを伝えねばならぬのだ。悪魔には会ったのだな？

プロクター　会いました。

パリス　よく言った！

ダンフォース　悪魔は、おまえのところへやって来て、何と要求した？　（プロクター　は黙っている。ダンフォースが助け舟を出す）この地上で悪魔の仕事をしろと命じたのだな？

プロクター　そうです。

ダンフォース　そしておまえは、そうすると誓った？　（レベッカ・ナースがヘリックに支えられて登場、ダンフォースはふり返る。レベッカはほとんど歩くことができない）さあ、さあ、お入り、レベッカ！

レベッカ　（プロクターを見て、顔を輝かして）まあ、ジョン！　元気なんだね、え？

プロクターは壁の方へ顔をそむける。

ダンフォース　勇気をだすんだ、プロクター、勇気を——レベッカが神のもとに戻れるように、手本を示してやりなさい。さあ、レベッカ、聞くのだ！　プロクター、続けよ、悪魔の仕事をすると誓ったんだな？

レベッカ　（おどろいて）まあ、ジョン！

プロクター　（歯をくいしばるようにして、レベッカから顔をそむけ）そうです。

ダンフォース　さあ、レベッカ、これでわかったろう、この陰謀を隠しつづけても無駄だ。おまえも一緒に告白するか？

レベッカ　ああ、ジョン――神よ、慈悲をかけたまえ！

ダンフォース　どうだ、告白するかね、ナースのおかみさん？

レベッカ　いいえ、そんなこと、嘘です、嘘です。どうしてそんな告白ができるでしょう？　あたしには、嘘はつけません。

ダンフォース　プロクター、悪魔がおまえのところに来たとき、レベッカ・ナースも一緒だったか？　（プロクターは黙っている）さあ、勇気をだして――レベッカも一緒だったか？

プロクター　（ほとんど聞こえないような声で）いいえ。

ダンフォースは厄介なことになってきたなというふうに、ジョンに目をやり、テーブルのところへ行き、一枚の紙――死刑囚のリストを取りあげる。

ダンフォース　レベッカの妹、メアリ・イースティが悪魔と一緒にいるところを見たか？

プロクター　いいえ、見ません。

ダンフォース　(目を細めてけわしくプロクターを見て)　マーサ・コーリイが悪魔と一緒にいるのを見たか?

プロクター　いいえ。

ダンフォース　(わかってきて、ゆっくりと紙を下へおき)　誰かが悪魔と一緒にいるのを見たか?

プロクター　いいえ。

ダンフォース　プロクター、思い違いをするな。嘘と引きかえに、おまえの生命を助ける権限はわしにはない。確かに誰かが悪魔と一緒にいるのを見たはずだ。(プロクターは黙っている)プロクター、二十人もの人間が、この女が悪魔と一緒にいるのを見たと、すでに証言しているのだぞ。

プロクター　では、それが何よりの証拠。なぜわたしまでが言わなければならないのか?

ダンフォース　なぜ言わなければならんのだと!　いいか、もしおまえの魂が本当に悪魔への愛から清められているのなら、喜んで言うはずだぞ!

プロクター　レベッカたちは聖人のように死ぬつもりだ。その名を汚したくはない。

ダンフォース　(信じられないように、問いただす) プロクター、おまえはこの連中が聖人のように死ぬと思うのか?

プロクター　(答えを避けて) この人は自分が悪魔の仕事をしたとは決して思いますまい。

ダンフォース　いいかね、プロクター。おまえは自分の義務を誤解しているようだ。レベッカが何を思おうと問題ではない――この女は子供たちを非道にも殺した罪に問われており、おまえはメアリ・ウォレンに悪霊をのり移らせたという罪だ。ここではおまえの魂だけが問題だ。おまえは身の潔白を証明せぬかぎり、キリスト教徒の国に生きることはできないのだ。どういう連中が悪魔とかたらって、おまえと一緒に謀議したのかね? (プロクターは黙っている) おまえの知るかぎりでは、レベッカ・ナースは今まで――

プロクター　わたしは自分の罪を告白しているのです。他人を裁くことはできない。(憎悪をこめて、叫ぶ) そんな口は持ちあわせていない。

ヘイル　(急いでダンフォースに) 閣下、彼の告白はこれで充分です。署名させましょう、署名を。

パリス　(熱っぽく) 立派な仕事です、閣下。大事な名前です。プロクターが告白したとなれば、町じゅうが驚くでしょう。どうか、署名させてください。太陽が昇りました、閣下！

ダンフォース　（考える。それから、しぶしぶと）それでは、よし、証言に署名せよ。（チーヴァに）渡してやれ。（チーヴァは、告白書とペンを手に、プロクターのところへ行く。プロクターはそれを見ようとしない）さあ、署名するんだ。

プロクター　（告白書にちょっと目をやったあとで）みなさんが証人として立ち会っていた――それで充分でしょう。

ダンフォース　署名しない気か？

プロクター　みなさんが立ち会っていた。これ以上何が必要です？

ダンフォース　わしを愚弄する気か？　署名をするか、さもなくば告白とは認めぬ！

（プロクターは苦しそうに息をしながら胸を波打たせ、紙を下におき、署名する）

パリス　ありがたいことで、神様！

プロクターが署名をし終わるとすぐ、ダンフォースが手を伸ばして告白書を取ろうとする。しかし、プロクターはそれをさっと取りあげる。今や激しい恐怖が彼のなかに強まり、限りない怒りがこみ上げてくる。

ダンフォース　（とまどうが、如才なく手をさし出し）どうか、それを。

プロクター　いやだ。

ダンフォース　（プロクターが判っていないのかと思って）プロクター、それは是非こっちに――

プロクター　いや、駄目だ。わたしは署名した。あんた方はそれを見ていた。それですんだのだ！　これはいらないはず。

パリス　プロクター、証拠が必要なんだ、町の連中に見せる――

プロクター　町の連中なんか、どうだっていい！　おれは神様に告白した、神様はその名前をごらんになった！　それで充分だ！

ダンフォース　いや、それは――

プロクター　あなたはわたしの魂を救いに来たんでしょう、え？　なら、わたしは告白した、それでいいはず！

ダンフォース　おまえはまだ告――

プロクター　もう告白しましたよ！　公表しなければ、懺悔ではないんですか？　神様は、わたしの名前が教会に釘づけになることなんか、必要となさらない！　神様はわたしの名前をごらんになった、わたしの罪がどんなに重いか、ご存知だ！　それで充分だ！

ダンフォース　プロクター――

プロクター　わたしを利用するのはやめてくれ！　おれは、サラ・グッドやティテュバではない、ジョン・プロクターだ！　利用するのはやめてくれ！　利用するのは、救済の一部ではない！

ダンフォース　わしは何も――

プロクター　おれには三人の子供がいる――子供たちにどうして教えられる、人間らしく堂々と生きよと、一方で仲間を売りながら？

ダンフォース　別に仲間を売ったわけではない――

プロクター　ごまかすのはやめろ！　仲間たちが沈黙を守り絞首刑になるその日に、これが教会にはりだされれば、おれはみんなに汚名をきせたことになるのだ！

ダンフォース　プロクター、きちんとした正式な証拠がなければ――

プロクター　あなたはお偉い裁判官だ、その言葉だけで効き目があるはず！　みんなに言ってくれ、わたしが告白したと。プロクターは膝を折り、女のように泣いたと。好きなように言うがいい、だが、この名前だけは――

ダンフォース　（いぶかしげに）同じことではないか？　わたしが報告しようと、おまえが署名しようと？

プロクター　（自分でも理屈に合わないことを知っている）いいや、同じではない！　他人が言うのと、自分で署名するのとは、同じではない！

ダンフォース　なぜかね？　釈放されたら、この告白を否認するつもりか？

プロクター　否認なぞしません！

ダンフォース　では、わけを言え、なぜ――

プロクター　（魂の底からほとばしるような叫び声をあげて）それがわたしの名前だからです！　一生ほかに名前を持つことができないからです！　わたしは嘘をつき、その嘘に自分で署名した！　わたしは絞首刑になる人たちの足の塵にもなれない人間だ！　名前なしに、どうして生きてゆける？　魂は渡した、名前は残してくれ！

ダンフォース　（プロクターが手にしている告白書を指さし）その告白は嘘か？　嘘なら、受け取れぬ！　どうなんだ？　嘘は認めない！　（プロクターは動かない）さもなければ絞首刑は免れないぞ？　（プロクターは答えない）どっちを選ぶね、え？

プロクターは、荒い息づかいで凝視していたが、告白書を破り、それをくしゃくしゃにする。彼は、怒りのあまり泣いてはいるが、毅然として立つ。

ダンフォース　警察署長！

パリス　(破られた告白書がまるで自分の生命ででもあるかのように、ヒステリックに)プロクター、プロクター！

ヘイル　絞首刑になるぞ！　いかん！

プロクター　(目に涙をたたえて)いいんです。あなた方の不思議な力のおかげだ、これができたのも。あなた方はいま魔法を使った、だから、ジョン・プロクターもまんざら捨てたものではないという気がしてきた。誇らかに旗がふれるほどではないが、少なくとも旗を犬どもに汚されないですんだ。(エリザベスは激しい恐怖におそわれ、プロクターに駆けより、その手にすがって泣く)涙をみせるのはよせ！涙は彼らを喜ばせるだけだ！　誇り高く、石の心をもって、彼らを沈めてしまおう！　(エリザベスを抱き起こし、情熱をこめて接吻する)

レベッカ　何も恐れることはない！　別な審判がわたしたちを待っている！

ダンフォース　この者たちを高々と絞首刑にせよ！　彼らのために泣く者は、背徳に涙する者だ！　（ダンフォースは彼らのそばをかすめるようにして出て行く。ヘリックはレベッカを連れだそうとする。レベッカはくずおれそうになるが、プロクターがそれを抱きとめる。レベッカは目をあげ、すまなそうにプロクターを見る）

レベッカ　朝食をとらなかったものでね。

ヘリック　さあ、こい。

ヘリックは彼らにつきそって出る。ホーソーンとチーヴァがあとに続く。エリザベスは人がいなくなった戸口を見つめて、立ちつくす。

パリス　（ひどい恐怖におそわれて、エリザベスに）行くんだ、おかみさん！　まだ間に合う！

外から太鼓のとどろきが空気をふるわす。パリスははっとする。エリザベスは窓の方をきっと見る。

パリス　さ、行くんだ！　（戸口から駆け去る、まるで自分の運命を引きとめようとするかのように）プロクター！　プロクター！

　ふたたび短い太鼓のとどろき。

ヘイル　さあ、説き伏せるんだ！　（戸口から駆け去ろうとして、またエリザベスのところへ引き返してくる）おかみさん！　それはうぬぼれだ、虚栄というものだ。（エリザベスは彼の視線をさけて、窓のところへ行く。ヘイルはひざまずく）夫を救ってやりなさい！　あたら命を捨てたところで何になる。土くれが称えてくれるというのか？　蛆虫が真実を説き明かしてくれるだろうか？　行って、彼の恥じる気持ちを取りのぞいてやりなさい！

エリザベス　（くずおれそうになるのをやっと支え、窓の鉄格子につかまり、叫ぶ）あの人は、自分の行くべき道を見つけたのです。それをわたしが奪うなんて、神様がお許しにならないでしょう！

　最後の太鼓が打ち鳴らされ、それが次第に激しく高まる。ヘイルは狂ったように祈りながら泣く。昇ったばかりの太陽がエリザベスの顔にさんさんと注ぐ。
太鼓の音が朝の空気のなかで、死を告げるように乾いた音をたてている。

――幕おりる――

廊下に聞こえるこだま

この熱病がおさまって間もなく、パリスは投票によって解任され、大通りを去って行ったまま、二度と消息を聞かなかった。

伝えるところによると、アビゲイルはのちに娼婦になってボストンに現われたそうである。

最後の処刑後二十年してから、政府はまだ存命中の犠牲者および死者の家族に、補償金をおくった。しかしながら、人々のなかには依然として自分たちの罪を全面的に認めたがらない者がおり、また派閥の対抗意識が根強く残っていたことは、補償の一部が実際には犠牲者にはまったくいかず、密告した者の手に渡ったことによっても、明らかである。

エリザベス・プロクターは再婚した。プロクターの死後四年であった。おごそかな集会をひらき、キリスト教会は破門宣告を取り消した――一七一二年三月のことである。これは政府の命令によるものであった。しかしながら、陪審員は、受難者すべての許しを乞う声明を発表した。

犠牲者が所有していた農場のいくつかは、荒れるにまかされ、一世紀以上もの間、誰もそれを買ったり、あるいは住もうとはしなかった。

いずれにせよ、マサチューセッツの神政政治は、事実上、終わったのである。

〔追加〕

第二幕　第二場

森のなか。夜。
プロクターがランタンを手に登場、彼の背後が明るくなる。それから立ちどまり、ランタンをかざす。アビゲイルが寝間着に肩掛けをまとい現われる。髪は解いたままである。もの問いたげな沈黙の一瞬。

プロクター　（探るように）おまえと話さなければならないんだ、アビゲイル。（アビゲイルは動かず、プロクターをじっと見つめている）坐らないか？
アビゲイル　どうして来たの。
プロクター　会いたかったからさ。
アビゲイル　（あたりに目をやり）夜の森って、嫌いよ。お願い、もっとそばに寄って。（プロクターはアビゲイルのそばにくる）知っていたわ、あなただって。窓に小石があたる音がしたとき、目をあけないうちから、判っていたの。（丸太の上に腰をおろす）もっと早く来ると思ったわ。

プロクター　何度もそうしようと思ったんだ。

アビゲイル　なぜ来てくれなかったの？　今はこの世で独りぽっち。

プロクター　（皮肉ではなく、事実として言う）そうかね！　噂では、この頃は、百マイルも先から、おまえの顔を見にくるそうだね。

アビゲイル　ええ、顔をね。あたしの顔、見える？

プロクター　（ランタンを彼女の顔に近づける）それでは、さぞ大変だろうな？

アビゲイル　あたしをからかいに来たの？

プロクター　（ランタンを地面におき、アビゲイルのとなりに腰かける）いや、そんなことはない。ただ、聞いたぜ、毎晩酒場に出かけ、副知事と円盤突きのゲームをしているって、りんご酒を飲んだりして。

アビゲイル　ゲームは一、二度やっただけ。ちっともおもしろくないの。

プロクター　これは驚いた、アビー。てっきり、おもしろおかしくやっているものと思っていた。おまえの行くところはどこでも、男たちがぞろぞろついて歩くって聞いたから。

アビゲイル　ええ、その通りよ。だけど、みだらな目つきで見られているだけ。

プロクター　それが嫌なのか？

アビゲイル　みだらな目つきで見られるのは、もうまっぴら。あたしはすっかり心をいれかえたの。自分でもこんなに苦しんでいるのだから、もっと崇めるような目で見てもらいたいわ。

プロクター　へえ？　どう苦しんでいるんだい？

アビゲイル　（服をたくしあげ）ほら、見てよ、この脚。あの針やピンのせいで孔だらけ。（腹部をさわり）あんたのおかみさんに刺された傷も、まだ治っていないのよ。

プロクター　（アビゲイルの異常さに気がついて）いや、それは違うよ。

アビゲイル　ときどき、あたしが寝ているあいだに、おかみさんがまた、ちくりと刺しているような気がするの。

プロクター　ふうん？

アビゲイル　それに、ジョージ・ジェイコブズが――（袖をまくって）――何度も何度もやって来て、杖でたたくの――この一週間、毎晩おなじところを。見てよ、こんなに腫れてさ。

プロクター　アビー――ジョージ・ジェイコブズは、もうひと月も牢屋にいるよ。

アビゲイル　それはありがたい、早く縛り首になればいい、そうすればあたし、また安心して眠れるわ！　ああ、ジョン、世の中はみんな偽善者ばかり！　（はっとして、いきり立ち）みんなが牢屋で祈っている！　そうだった、みんなが牢屋で祈っているんだ！

プロクター　祈ってはいけないのかい？

アビゲイル　お祈りの言葉が唱えられているあいだ、あたしはベッドで痛い目にあわされるの？　ああ、この町をちゃんと清めるには、神様ご自身のおでましを願わないことには！

プロクター　アビー——まだ誰かを訴えるつもりか？

アビゲイル　生きていればね、もし殺されなかったら、あたし、やるわ、偽善者が一人残らず死ぬまで。

プロクター　それでは、みんないなくなるぜ？

アビゲイル　いいえ、いるわ、たった一人。あなたよ。

プロクター　おれが！　おれのどこがいい？

アビゲイル　だって、あなたはあたしに優しさを教えてくれた、だから、いい人。あれは火だった、あなたがあたしを連れてくぐり抜けたのは。そしてあたしの無知が焼き払われた。あれは火だったのよ、ジョン、二人は火の中で寝たのよ。あの夜からはもう、どの女だって、あたしのことを悪く言えるわけがない。こっちは答えを知ったんだもの。風でスカートがまくれると、自分の罪だと思って、よく泣いたわ。レベッカとやらの婆さんから、ふしだらだと言われたときは、恥ずかしくて顔を赤らめたわ。でも、そういうあたしの無知を、あなたが焼き払ってくれたの。まるで十二月の木のように、裸のままの姿で女たちが見えるようになったわ――聖人づらをして教会へ行っても、病人の看護に走りまわっても、心の底はみんな偽善者！　だから神様があたしに、みんなを嘘つき呼ばわりする力をあたえてくださったの、神様がしむけてくださったの、人があたしの言うことを聞くように。絶対にあたし、この世の汚れを洗い清めるわ、神様の愛のために！　ああ、ジョン、あたし、あなたの素敵なおかみさんになるわ、この世直しがすんだら！　（アビゲイルはプロクターの手に接吻する）さぞびっくりするでしょうね、毎日あたしを、家の中に天の光を見て――（プロクターは立ちあがり、びっくりしてあとずさる）なぜあなたは冷淡なの？

プロクター　妻があすの朝、裁判なんだ。

アビゲイル　（よそよそしく）妻がね？

プロクター　知っているだろう？

アビゲイル　いま思いだした。どう——どうなの、あの人——元気？

プロクター　まあね、あそこに入れられてから三十六日だ。

アビゲイル　会いに来たって言ったわね。

プロクター　有罪にはなるまいね、アビー。

アビゲイル　あの人のことを話すために、寝ていたあたしを呼びだしたの？

プロクター　言いにきたんだ、アビー、あした法廷でおれが何をするつもりか。不意打ちはくわせたくないからね、自分が助かるにはどうすればよいか、とっくり考えてほしいんだ。

アビゲイル　あたしが助かる！

プロクター　妻があした釈放にならないようなら、こっちもおまえを破滅させてやる。

アビゲイル　（小さな声で——びっくりして）どうやって——破滅させるの？

プロクター　確かな証拠書類があるんだ、あの人形がエリザベスのものではないとおまえが知っていたという——そしておまえがメアリ・ウォレンに命じて針を人形に突き刺したのだという証拠が。

アビゲイル　（野性が彼女の中で目をさます。自分の願いを拒否され、完全に打ちのめされたー人の子供がそこに立っている。しかし彼女はなおも自分の才知にすがろうとする）あたしが命じた、メアリ・ウォレンに——？

プロクター　どうすればいいか、わかっているはずだ、それほど狂ってもいまい！

アビゲイル　ああ、偽善者たちめ！　この人もとりこんでしまったのね？　ジョン、なぜあんな連中の言いなりになるの？

プロクター　いうことをきくんだ、アビー！

アビゲイル　あの連中があんたを送ってよこした！　あんたの正直さを盗み——

プロクター　おれは自分の正直さを見つけたんだ！

アビゲイル　違う、これはあんたのおかみさんが言わせているのよ、あの、すぐ泣きそうな声をだす、やきもちやきのおかみさんが！　これは、レベッカの声だ、マーサ・コーリィの声だ。あんただけは偽善者ではなかったのに！

プロクター　おまえのペテンをあばいてやる！

アビゲイル　アビゲイルがなぜそんな人を殺すようなことをするのだときかれたら、どう答えるつもり？

プロクター　はっきりわけを話してやる。

アビゲイル　何を話すの？　姦淫したと告白するの？　法廷で？

プロクター　そんなふうに言うんなら、そう言ってやる！（アビゲイルは、信じられないというような笑い声をたてる）かならず言う！（アビゲイルの笑い声はだんだん高くなり、プロクターがそんなことはするまいという確信が前よりも強まっている。プロクターはアビゲイルを乱暴に揺さぶる）いいか、よく聞け！　聞くんだ！（アビゲイルは震えている、まるでプロクターの気がくるってしまったかのように彼を見つめながら）おまえは法廷で言うんだ、プロクターの、悪霊は見えません、もう悪霊を見ることはできませんと。そして魔法のことなど二度と口ばしるんじゃない、さもないとおまえを根っからの娼婦だと言いふらすぞ！

アビゲイル　（プロクターをつかむ）そんなこと、しないわ！　わかっているわ、ジョン――あんたは今、おかみさんが絞首刑になるので、ひそかにハレルヤを歌っているのよ！

プロクター　（アビゲイルを投げ倒し）この雌犬、人殺しの雌犬め！

アビゲイル　ああ、ばけの皮がはげるっていうのは、つらいものね！　だけど、はげるものは、はげる！（行きかけようとするかのように、肩掛けで身をくるむ）あんたは、おかみさんのために自分の義務を果たした。それが最後の偽善であってほしいわ。ねえ、また、もっといい話を持って、やって来て。きっとあなたはやって来る――もう義務は果したんですもの。おやすみ、ジョン。（別れの手をあげながら、あとしざりしてゆく）こわがることはないわ、何にも。あしたはあたしがあなたを助けてあげる。（きびすを返して行きながら）あなた自身から、あなたを救いだしてあげる。（アビゲイルは去る）

プロクターひとりが、びっくりしたように、呆然と取り残される。そしてランタンを取り、ゆっくりと退場。

――幕おりる――

訳註

1 「ハムレット」第一幕第五場のハムレットのせりふより。

2 西インド諸島東端の島で、一六二七年以来イギリスの植民地であった。

3 旧約聖書「エゼキエル書」第一章一六節および第一〇章一〇節。「こみ入ったからくり」「複雑な事情」等の意。

4 ドイツの宗教改革者（一四八三〜一五四六）。教会は聖職者の独占物ではなく、信者すべてのものであると主張した。

5 オランダの人文主義者（一四六六頃〜一五三六）。宗教の形骸化を攻撃し、「エラスムスが卵を産み、ルターがこれを孵化した」ともいわれたが、のちにルターとは対立した。

6 「主の御名にかけて、悪魔とその手先どもが地獄におちますように」

7 旧約聖書「出エジプト記」第一四章二一節「モーゼが手を海に向かって差し伸べると、エホバは夜もすがら激しい東風をもって海を押し返されたので、海は乾いた地に変わり、水は分かれた」以下の故事。

8　「出エジプト記」第二〇章および「申命記」第五章にある十戒。

9　「出エジプト記」第二二章一八節。「魔術をつかう女を生かしておいてはならない」

10　ローマのユダヤ総督（二六〜三六年）。イエスの裁判と処刑は彼の統治下におこなわれた。

11　アダムとエバの第一子カインは、弟アベルの供え物が神に受けいれられ、自分のが顧みられないことを怒って、アベルを殺した。「創世記」第四章。

12　旧約外典の一つ「トビト書」より。少年トビアスは、父の用で遠い町へ使いに出るが、天使ラファエルに導かれて悪魔につかれた娘サラと知り合い、その悪魔をはらって結婚、帰国後、父の失明を直す物語。

13　「出エジプト記」第二〇章一六節。および「申命記」第五章二〇節「汝の隣人に対して偽証してはならない」

14　モーゼの後継者でイスラエルの指導者。「ヨシュア記」第一〇章一三節に、「日はまる一日、中天にとどまり、急いで傾こうとしなかった」とある。ダンフォースは日没を日の出に言いかえている。

訳者あとがき

イギリス国王ヘンリー八世は、一五三四年に王妃キャサリンとの離婚をめぐってローマ教皇と対立し、英国国教会をたてた。英国国教会は、国王を教会の首長とし、監督制度によって運営され、エリザベス朝の一五七〇年までには祈禱書の制定、教会内の教義や慣習等の統一によって、中央集権的な体制を確立したが、教義はプロテスタント的、儀式や慣習はローマ・カトリック的という中道的、折衷的なものであった。

一方、一五六〇年頃から、英国国教会内にあるカトリック的要素をとりのぞき、大陸のプロテスタンティズムに近いかたちに改めようとする長老派その他がうまれた。これら長老派をはじめとする改革派がピューリタンである。改革派のなかでも長老派は保守的妥協的であった。これに対してセパラティスト（分離派）とよばれる一派は、急進的革新的で英国国教会から分離することも辞さなかった。セパラティストたちは、神意にかなう選ばれた者のみが教会員になる資格があると説き、教会は、そういう選ばれた者の自由意志にもとづき、キリストとのあいだに直接の契約をむすぶことによって成立すると主張した。

神意にかなう選ばれた者とは、神に対しまじめな畏懼を持ち、罪に対する恐怖を自覚し、ひたすら神の意志を追求し、かつ神の栄光を発展させるための行為を実践する人たちであった。彼らは、およそ神の絶対性を阻害するようないっさいの人間的権威を否定し、これを排除するために戦うことを自己の任務とした。新大陸に新しいコロニーをつくろうとして一六二〇年にメイフラワー号に乗ってマサチューセッツのプリマスに上陸した一〇二人のピルグリム・ファーザーズは、こういう信条をもった分離派のピューリタンであった。

ピューリタニズムには二つの面がある。一つは、娯楽を罪悪視し、華美や贅沢を排する徹底した禁欲主義であり、また選ばれた者すなわち教会員を中心とする神聖政治である。牧師および役員や公吏は教会員の選挙によって選ばれた。

しかし一方、ピューリタニズムは、神以外の権威に屈しないという点では、市民社会の精神的バックボーンでもあった。つまり、市民社会における人間の自覚としてのピューリタニズムの論理は、あらゆる人為的権威を取りさったあとの人間は、創造者たる神によって造られたものにすぎず、そこにはなんの身分的差別もありえないということである。したがって、すべての人は他人を神によって創造された人格として平等に尊重し、みずからも同じ神によって造られた人格として自覚しなければならないのである。ここに、人間の日常生活を現世的に肯定する新しい倫理観の基礎がつくられた。

中世においては、修道院のなかでいとなまれる宗教生活や、城壁のなかでくりひろげられる王侯貴族の生活のためにしか存在しなかった民衆の勤労生活が、神によって平等を保証され、聖職者や貴族の生活と本質的に同一の価値をもつものとして認められた。人間おのおのの日常的な仕事は、一つの宗教的任務の遂行であり、現世的義務に対する忠誠は、神の意志に対する忠誠でもあるということである。

もっともアメリカにおいて、ピューリタニズムがこのような現世肯定的な日常生活の倫理として発展し定着したのは、十八世紀以降である。

初期のピューリタンたちは予定説を固く信じていた。人間の生活や歴史は、自然の諸現象が神の意志の表れであると同様、神の摂理の記録である。地上のもろもろの出来事は、神の意志にもとづき、神の統御のもとにあるのだから、すべての歴史は神のあらかじめ定めた計画によって進行し、いかなる社会も人間も、神の予定した運命を免れることはできないというのである。

この考え方にしたがえば、一つのコミュニティやコロニーの繁栄や没落も、また個人の成功も失敗も、すべて神によって初めから予定されたものなのである。しかし選ばれた者の意識としては、神の意志にもとづき刻苦勉励すれば、かならず繁栄と成功が神によってあたえられるものだと信じたい。だから、マサチューセッツの移住者たちは、寒さや疫病、飢餓、インディアンの襲撃とたたかい、多くの苦しみを克服して植民地をきずき、物質的にも安定した生活ができるようになった。

しかしながら、富が蓄積され、物質的に豊かな生活ができるようになると、最初のころのきびしい信仰心は、ともすれば薄れてゆく。ジョン・プロクターのように、教会にもあまり姿を現さず、日曜日に畑仕事をする者も出てくる。これは、教条主義の聖職者や、神政政治をおこなう側にとっては、許すことのできない堕落であり、悪である。制度をも根底からくつがえしかねない危険な徴候である。

一六八〇年、彗星があらわれたとき、牧師インクリース・メザーは、それは世俗化しつつあるこの世に対する神の警告であると断言した。その長子で神学者のコトン・メザーはもっと極端で、講演のために用意した原稿をなくしたとき、悪魔とその手先が自分に講演をさせないようにするためにその原稿を盗んだと信じて疑わなかった。彼はまた、腹が痛くなると、悪魔が腹のなかで暴れているのだといって、叱りつけた。偏頭痛をおこすと、自分が何か罪をおかした罰ではないかと自問、反省した。

このようなきびしい規律を自分に課し、たえず自分を抑圧しているから、彼はしばしば幻覚を経験した。悪魔の一軍がニューイングランドに上陸する幻をみたり、現世の終りが近づいているという神のおつげを聞いたりした。

魔女の概念は、一つには、こういう狂信的な、欲望と本能をたえず抑圧して生きてゆかねばならない、一部のピューリタンの幻覚のなかから作りあげられた、一種のヒステリー症状である。こういう状況のもとで、個人的な、また集団的な宗教的狂気が醸成される。だから、インクリース・メザーやコトン・メザーたちが、セイラムの魔女裁判に重要な積極的役割をはたしたのは、偶然ではない。

彼らは、信仰のおきてを破るものにきびしい刑罰をくわえた。そうしなければ、きびしい禁欲と規律の生活をおくる自分自身に対してやりきれないわけである。父なし子をうんだ娘が舌を焼ゴテでやかれたり、四人のクェーカー教徒が絞首刑になったのも、十七世紀の中頃のことである。クェーカー教徒は、自分のうちなる神を信じ個人を尊重し、特定の儀式をもたないところから、異端視されていたのである。

こういう異端者に対する刑罰の残酷さは、それを加える側の人間性や人間的感情の屈折や抑圧の度合いに比例する。コトン・メザーは、最後までセイラムの魔女裁判の正当性を疑わなかった一人である。

一般に、自分が抑圧されて苦しんでいるとき、他人をなんらかのかたちで苦しめると、それが抑圧のはけ口となり、ある種の快感を感じる。だが、一方、他人の生命や肉体を傷つけ、その財産を没収したり侵害したりすることは、自然の法則に反し、良心の苛責をともなう。神のおきてを守り人間を罪から救う行為であるという大義名分のもとにおこなわれる他人を傷つけることの快感と、神によってつくられたおなじ人間の肉体を傷つけ、あるいはその生命をうばうという矛盾や、良心の苛責を解決するための手段として考えだされたのが、悪魔やその手先である魔女である。だから、悪魔や魔女は、狂信的な宗教的幻想からうまれた恐怖のヒステリー的迷信であると共に、意識の面では、宗教を基盤として権力をもつ者が、自分たちがおこなう残酷な刑罰を正当化するための手段だったのである。

彼らは、自分たちが罰しているのは一個の人間ではなく、そのなかに巣くう悪魔なのである、あるいは人間の姿をかりた魔女なのであると考えることによって、おなじ人間を傷つけ殺すことの心の重荷からのがれようとした。このようにして、罰する人間を、犠牲者であると同時に教唆者に仕立てあげた。悪魔や魔女にとりつかれただけなら犠牲者であって、ひどい罰をくわえるわけにはいかないからである。歴史上におけるユダヤ人や異教徒に対する迫害は、すべてこのような論理と説明によって遂行された。

セイラムの魔女裁判では、十九人が絞首刑になり、一人——ジャイルズ・コーリイが圧死した。五十五人が拷問によって罪を自白し、百五十人が投獄され、逮捕すべきだとして名ざしされた者は二百人をこえた。しかし、コトン・メザーの親戚にあたる知事ウィリアム・フィプスの妻や、元知事ブラッドストリートの息子にまで容疑がおよぶにいたり、この騒ぎもおさまった。

「るつぼ」は一九五三年一月、ニューヨークのマーティン・ベック劇場で上演された。これよりさき、アメリカの元共産党員ホウィティカー・チェイムバーズが国務省の高官アルジャー・ヒスを、機密文書をソビエトに渡したとして告発した。ヒスはこれを否定したが、二度の裁判の後、一九五〇年一月に五年の刑を宣告された。その翌月、ウィスコンシン州選出の上院議員ジョゼフ・マッカーシイが、アメリカの政府部門には多数の共産分子がいると発言し、その追放を求めたことから、いわゆるマッカーシズム——赤狩りの旋風が、戦後の社会不安や中華人民共和国の誕生、朝鮮戦争の勃発を背景に、ひろがっていった。

オーエン・ラティモアは中国が解放軍の手に落ちたのは彼のせいだとマッカーシイから糾弾され、一九五一年に上院国内治安委員会に喚問され、五二年十二月偽証罪で起訴されたが、五三年五月に無罪となった。ジュリアスとエセル・ローゼンバーグ夫妻は、第二次世界大戦間に原子爆弾の秘密をソビエトに渡したとして起訴され、一九五一年三月に死刑の宣告をうけ、五三年六月十九日に刑が執行された。

「るつぼ」はアメリカのこういう一九五〇年代初めの政治的状況のもとで上演されたため、賛否いずれにせよ、マッカーシズムへのアレゴリーとして受けとられた。これに対してミラーは、「どう受けとめるかは観客の自由だが、私の意図と関心はもっと広く深いものであり、そういう短絡化をさけるために、一般に理解できる範囲で十七世紀的な古風なことばや言い回しを使った」という意味のことを述べている。また五年後のマッカーシズムが終息した時点——マッカーシイは一九五七年に死亡——では、次のように言っている。

私は単にマッカーシズムに対する答として「るつぼ」を書く気になったのではない。これが赤狩りを正すための試みでないことは、「セールスマンの死」が旅まわりのセールスマンの生活条件の改善を訴えたものではなく、また「みんな我が子」

が飛行機の部品検査の改良を説いたものではなく、あるいは「橋からのながめ」が移民局に対する攻撃でないのと同じである。「るつぼ」は、内容的には、「セールスマン」の血をわけた兄弟である。これは私が前から深い関心をもっていた問題——人間の生な行為と、人間が自分自身であることについてのあいだにある葛藤の追究である。善悪の観念すなわち良心は実際に人間の一部なのかどうか、それが単に国家や時代の道徳観のみならず、友人や妻に引き渡されたらどうなるだろうという問題である。大きな違いは、「るつぼ」は、これまでの作品よりも意識または自覚についての問題を、より高度なかたちで扱おうとした点だと思う。

ニューヨーク・タイムズ、一九五八年三月九日

赤狩りはミラーにとっても他人事ではなかった。一九五四年には、ベルギーにおける「るつぼ」公演のための渡航手続きをしようとしたさい、好ましからぬ人物として国務省から旅券の発行を拒否され、また五六年の六月には下院非米活動委員会に喚問された。そのとき、かつて党員だった作家たちの名前をあげるようにもとめられたが、ミラーは、「私は自分の良識を守りたい。他人の名前を引き合いにだして、その人たちに迷惑をかけるわけにはいかない」といって、証言を拒否した。そのため国会侮辱罪にとわれ、五

七年五月に有罪とされたが、五八年八月の控訴審では無罪となった。

これによってもわかるように、ミラーは密告を人間としての卑しむべき行為だとみており、良心すなわち人間性の真価は、嘘の告白や裏切りや、密告をもとめられたとき最終的にためされると考える。プロクターは告白を取り消した。ローゼンバーグ夫妻は、もし自白すれば電気椅子を免かれたかもしれないが、虚偽の告白はしなかった。だが、「橋からのながめ」のエディは、姪への愛ゆえに、あえて密告者の道をえらんだ。だから、アルフィエーリは、それを人間の業の深さとして観じ、深い溜息をつくのである。

「るつぼ」の追加として訳出した第二幕第二場は、初演の幕をあけたあとに書かれたが、一般的にはこの追加部分は使われないことが多い。一九六五年にロンドンのオールド・ヴィクでナショナル・シアターがロレンス・オリヴィエの演出で上演した際も、オリヴィエは稽古の初めの段階ではこの場に関心を示したが、劇的な流れが乱れるという理由で実際の公演では演じられなかった。

「るつぼ」はフランスでは一九五四年十二月「サレムの魔女」という題で、レーモン・ルーローの演出、イヴ・モンタンのプロクター、シモーヌ・シニョーレのエリザベスで上演された。これを見たジャン＝ポール・サルトルは、「この作品は、古くからの住民と新しい住民、富める者と貧しい者との土地の所有をめぐる争いである……プロクターの死と彼が死を甘受したという事実は、もしその行動が社会的闘争にもとづく反逆として示されたら、意味あるものになったであろう」と評した。この作品が一九五七年にルトローの監督、モンタンとシニョーレの主演で映画化されたとき、シナリオを書いたのはサルトルであった。

「橋からのながめ」も一九六一年にシドニー・ルメットの監督で映画化された。

一九八四年

「るつぼ」について
——プロクターの最期への疑問——

岡崎涼子
（英米演劇）

キリスト教の学校で教育を受けながら、わたしはピューリタニズムについてほとんど知らない。わたしにとってピューリタンとは、演劇的にもっとも豊かな時代だったイギリスのエリザベス朝時代のロンドンの市当局を牛耳っていた（そのおかげで、ロンドンの常設劇場は市の境界外にしか建てられなかった）階級、エリザベス朝の終わりをもたらした革命の主導者ということぐらいの意味しかない。魔女狩りもジャンヌ・ダルク関係で漠然と知っているのみであり、この作品を読んでも、なぜ悪魔に取り憑かれたと言えば被害者になり、否定すれば罪人になってしまうのかも、よくわからない。

アーサー・ミラーは一六九二年にマサチューセッツ州セイラムで起こった魔女狩りの歴史的事実についてのもろもろの史料を克明に調べてこの作品を書いている。一幕においてはわたしが持つような疑問を想定しての（台詞ともト書とも別の）事件についての長い解説とその社会的普遍的意味についての意見を何カ所かにかなり詳しく述べているし、訳者もまたその点に詳しく触れているので、ここで同じことを繰り返す必要はないように思う。学校で先生がふるう熱弁が「忠君愛国」から突然「民主主義」に変わったことを経験している世代のもっとも年少の部類として、この作品の言わんとすることはこれまでごく素直に受け止めてきた。

この作品は日本では一九六二年の初演を含めて六〇年代に二回、七〇年代二回、一九八七年、一九九八年といずれも劇団民藝が上演をくりかえしてきた（無論他のグループによる上演も多い）。だが、アビゲイル役が奈良岡朋子ということが頭に浮かぶことを思えば、わたしは多分民藝の初演を見たのであろうと思うが、よくおぼえていない。初演時の配役表を見ると、ダンフォースの滝沢修、レベッカの細川ちか子など民藝のそうそうたるメンバーが顔をそろえているにもかかわらず、それより早い「セールスマンの死」が今も鮮烈な思い出となっているのと随分違う。多分「るつぼ」は登場人物が多く、テーマだけが観客の心に刻み付けられる構成になっていることが大きいと思われる。ストーリーはおおむね下記の通りである。

セイラムの牧師パリスの姪アビゲイル（孤児で、美しく、また仲間に強い影響力をもっている）と娘のベティ他数人の娘たちが、夜森の中で踊っているところを牧師に見つかり（ピューリタンはこういう娯楽行為を禁じている）、そのショックで牧師の娘ベティとパトナム家の一人娘ルースが意識不明になる。これをパトナム夫妻が悪魔の仕業と騒ぎたてるところから、この魔女狩りが始まる。アビゲイルは牧師にも彼女の元の雇い主ジョン・プロクターにもただ森の中で踊っていただけと言明している。だがパトナム夫人が生んだその日に失った七人のルースの姉たちは誰の呪いで死んだのかを知りたくて、牧師の家の黒人の奴隷ティテュバにたのんで死者を呼び出そうとしたことは、パトナム夫人が公言する事実である。さらにアビゲイルはかつての雇い主ジョン・プロクターと不倫関係となり、それゆえに彼女をくびにしたプロクター夫人エリザベスを呪って血を飲んだということは、彼女が仲間に固く口止めしている事実である。ともあれ、これがきっかけで彼女たちは悪魔に魅入られたということになり、その悪魔としてさまざまな人間の名前が彼女たちの口からあげられ、逮捕され、告白すれば許され、否定すれば絞首刑にされる、ということになる。

だがそこには単純に悪魔への恐れというよりは、さまざまな人間のさまざまな欲望や敵意や政治的計算が影響している。土地持ち、金持ちで村に影響力を持ちたいパトナムが、自分の身内を牧師にしようとして反対された恨み。それを恐れる牧師パリス。その反対者だった老齢のフランシス・ナースとその妻レベッカは、借地からはじめて孜々として働き、やがて土地を我がものにして、十一人の子を育て上げた。村人に尊敬され、影響力を持っているナース夫妻は当然パトナム夫妻の嫉妬の対象になるうえ、自分の一族でセイラムから独立して町を作り、そのことでセイラムの人々の反感を買ってもいる。レベッカは信仰はあついが常識人でこの件に悪魔の係わりなど見ていない。その点はプロクターも同じで、彼は妻を愛し、アビゲイルとの件を悔いていて、あまり信用していないパリス牧師の説教よりは自分の畑仕事を大事にする個人主義者だ。パトナムはまた、プロクターやら同じく農夫の老ジャイルズやらと土地の所有権をめぐって対立してもいる。こうしたもろもろのことがこの魔女狩りという「るつぼ」の中で混ざり合い、結果悪魔に魅入られたことを告白したアビゲイルたちは聖女のごとくにあつかわれ、エリザベス・プロクター、レベッカ、ジャイルズの妻マーサは魔女として逮捕される。

プロクターは妻たちを救うべく、自家の女中で森の中の踊りに参加したメアリ・ウォレンを説得して、それが魔女などと関係ないことを証言する宣誓書を書かせ、村人たちに頼んで書いてもらったレベッカ等が魔女などではないことを証言する証言書とともにたずさえて法廷におもむくが、その証言者たちは喚問されて法廷に立つまで牢に収監されることとなる。この魔女騒ぎが、悪魔として処刑された者の没収された土地を買うためにパトナムが仕組んだことだと主張するジャイルズは、それを証拠立てるパトナムの発言を聞いた人間を同じ目にあわせることを恐れ、その名をあげることを拒否して法廷侮辱罪で逮捕される。さらにプロクターはことの起こりは自分とアビゲイルの不倫とそれを知って彼女を解雇した妻への復讐にあることまで証言するが、立場が危なくなったアビゲイルの、メアリを悪魔にみたて鳥になって天井を飛んでいるという憑かれたような迫真の演技に恐怖したメアリは、宣誓書はプロクターに強制されたもので、プロクターは悪魔だ、と叫び、プロクターも逮捕されてしまう。

この作品の中ではプロクターに次いで常識を備えた人物に見えるヘイル牧師は、自分の教区で魔女問題を解決したことからパリスが呼んだ博識で誠実な男だが、彼も聖職者として悪魔の存在は信じており、公正であろうとする努力によってかえってこの魔女狩りを促進する羽目になっている。同じく法廷の最高責任者である州副知事ダンフォースもそれなりの威厳と知性を備えた人間だが、外部からきてセイラムの人間関係にまどわされない公正な判断というのが、魔法は外見的にも本質的にも目に見えない犯罪で、それを証言できるのは魔女と被害者しかなく、魔女が自分で自らを告発するはずがない以上、証言者は被害者しかいない、というものだ。このような状況下において知性の力は限界があり、ヘイルにできることは、裁判を弾劾し、法廷を辞任することだけだ。

だが、数カ月後、ヘイルはセイラムにもどってきて、受刑者たちに偽りの告白をしてでも生き延びるように説き始める。プロクターとレベッカの処刑の朝、パリスは人々から信頼されているこの二人の処刑が、他の町で起きているような反抗の暴動を招くのではないかとおびえており、身の危険を感じたアビゲイルはすでに町を逃げ出している。今やダンフォースも含めてみな自分たちの正当性を守るためにプロクターの告白をのぞんでおり、エリザベスにその説得がゆだねられるが……


ミラーは過去に実際に起こったことの史料を忠実に綿密に追いながら見事に劇化して、彼自身が体験し、この劇を書くきっかけとなった一九五〇年代アメリカの赤狩りや、それ以来世界で色んな形で起きている知性では対処できないもろもろの全体主義的な現象にも通じる普遍的な問題を捉えている。仲間にカリスマ的な影響力をもつアビゲイルの人間像や、土地をめぐってまわりと争いをくりかえし、最後は黙秘を貫いてその土地を守り獄死した単純で粗暴な農夫ジャイルズなど、よくわかるすぐれた人間描写もある。

だが、プロクターの最期は一見劇的で感動的だが、何故彼にとって署名した告白書が公表されることがそれほど重大なのか、(生きるために告白をする以上、人々の目を何故気にするのか）という疑問がどうしても残る。それは彼自身が罪多く、くだらない人間であり、ここまで否定してきたのは虚栄にすぎない、と妻に語っていることと、どう違うのか？　ダンフォースの言うように、彼はレベッカたちが悪魔といるところを見た、とは決して言ってはいないのだ。

この終幕にミラーが自分が赤狩り騒ぎに見た真実、つまり国会の非米活動調査委員会はすでに査問される人物のもろもろの事実は知っており、それを本人に告白させ自分の非を公式に認めさせることが彼らにとって重要なのだという考えを反映させていることは明らかだ。またかつて共産党の党員であったことがあり、アカデミー賞確実と言われていた「欲望という名の電車」が落選し、映画監督の立場を失うことを恐れたエリア・カザン（「セールスマンの死」初演の演出家）が、仲間の名前を公表したことも意識されている。ミラーがプロクターを自分の描く悲劇の主人公として考えていることは、彼の自伝にはっきり書かれている。だが、このプロクターの最期は感情的に盛り上がるだけで、彼の生きたいという気持ち、ヘイルの言う「命こそが神の最も尊い贈り物だ」という発想を否定するだけの説得力をもたないようにわたしには思える。この作品を「歴史を描いたメロドラマとしてなら、アーサー・ミラーのベストプレイ」と断ずるもと《ニューヨーク》誌の毒舌劇評家ジョン・サイモンの言葉（二〇〇二年三月十八日の同誌）を肯定したくなるような幕切れである。

プロクターは最後に自分が嘘に署名したということは自分の名前を失ったことだ、と叫んで告白書を破り捨てる。この場合彼の言う名前とは彼のアイデンティティであるようだ。このアイデンティティという意識そのものが、ミラーの世代には重要な意味を持ち、現代のわれわれが失っていると思えるものであるがゆえに、この終末をもうすこし掘り下げて表現して欲しかったと思う。電車が入ってきた瞬間を狙って何の関係もない人を突き飛ばす行為は、すでに一九九〇年代のニューヨークの地下鉄で流行っていた。連日だれかが、銃やらナイフやらで知らない人を無差別に殺す。人口が増え、人間の作った（お金を含む）もろもろの制度がそれ自体で肥大化、複雑化して人間が部品でしかないようになってしまった現代、人々が自主的、永続的な自己像をもてずに、突発的な凶行に自分の存在感を求める、そういう時代にわれわれは生きている。だからこそジョン・プロクターにとってのアイデンティティとは何だったかをもっと深く知りたかったという気が強く残る。

二〇〇八年

「るつぼ」

初演記録

一九六二年十一月〜十二月　劇団民藝（砂防会館ホール、のちサンケイホールほか）

訳・演出＝菅原卓　出演＝滝沢修、細川ちか子、鈴木瑞穂、奈良岡朋子、大滝秀治ほか

The Crucible by Arthur Miller
directed by Jed Harris, produced by Kermit Bloomgarden, was presented by Martin Beck Theatre, New York City, on January 22, 1953.
Arthur Kennedy as John Proctor, Beatrice Straight as Elizabeth Proctor, Walter Hampden as Deputy-Governor Danforth, Madeleine Sherwood as Abigail Williams

本書は一九八四年十二月に早川書房より刊行しました『アーサー・ミラー全集II』所収の「るつぼ」を文庫化したものです。

本書では作品の性質、時代背景を考慮し、現在では使われていない表現を使用している箇所があります。ご了承ください。

訳者略歴　1919年生。早稲田大学文学部英文科卒，早稲田大学教授，演劇博物館館長を歴任，2000年5月没　訳書『アーサー・ミラー全集』『アーサー・ミラー自伝』『北京のセールスマン』ミラー，『演技について』オリヴィエ〔共訳〕（以上早川書房刊）他多数

アーサー・ミラー

Ⅱ

るつぼ

〈演劇 15〉

二〇〇八年五月二十日　印刷
二〇〇八年五月二十五日　発行
（定価はカバーに表示してあります）

著者　アーサー・ミラー
訳者　倉橋（くらはし）健（たけし）
発行者　早川浩
発行所　株式会社早川書房

郵便番号　一〇一－〇〇四六
東京都千代田区神田多町二ノ二
電話　〇三－三二五二－三一一一（大代表）
振替　〇〇一六〇－三－四七七九九
http://www.hayakawa-online.co.jp

乱丁・落丁本は小社制作部宛お送り下さい。
送料小社負担にてお取りかえいたします。

印刷・中央精版印刷株式会社　製本・株式会社明光社
Printed and bound in Japan
ISBN978-4-15-140015-5 C0197